SANDRA BROWN

ГРЯЗНЫЕ ИГРЫ
ДЫМОВАЯ ЗАВЕСА
АЛИБИ
БЕЗЗВУЧНЫЙ КРИК
ЗАЛОЖНИЦА
ИСПЫТАНИЕ
СОКРОВЕННЫЕ ТАЙНЫ
КАК ДВЕ КАПЛИ ВОДЫ
ЖАР НЕБЕС
РИКОШЕТ
ЛИВЕНЬ
ПРАЙМ-ТАЙМ
РАСПЛАТА
МАРДИ ГРА
СМЕРТЬ В НОЧНОМ ЭФИРЕ
ТА, КОТОРОЙ НЕ СТАЛО
СВИДЕТЕЛЬ
НЕТ ДЫМА БЕЗ ОГНЯ
ТЕХАС! ЛАКИ
ТЕХАС! СЕЙДЖ
ТЕХАС! ЧЕЙЗ
СЦЕНАРИСТ
ЗАВИСТЬ
УБИЙСТВЕННЫЙ ЗНОЙ
ТРУДНЫЙ КЛИЕНТ
ФАКТОР ХОЛОДА
ШАРАДА
ЭКСКЛЮЗИВ
ФРАНЦУЗСКИЙ ШЕЛК
НА ЗАКАТЕ
НОВЫЙ РАССВЕТ
ЖАЖДА
МУЖСКИЕ КАПРИЗЫ
ЖЕНСКИЕ ФАНТАЗИИ
СМЕРТЕЛЬНО ВЛЮБЛЕННЫЙ
МИСС ПАИНЬКА
ПАРК СОБЛАЗНОВ
ЗАВТРАК В ПОСТЕЛИ
НЕ ПРИСЫЛАЙ ЦВЕТОВ
ПОХИЩЕНИЕ ПО-АМЕРИКАНСКИ
ТЕНИ ПРОШЛОГО
ДОРОЖЕ ВСЕХ СОКРОВИЩ
БУРЯ В ЭДЕМЕ
ПОЦЕЛУЙ НА РАССВЕТЕ

#1 NEW YORK TIMES – BESTSELLING AUTHOR

САНДРА БРАУН

ПОЦЕЛУЙ НА РАССВЕТЕ

ЭКСМО
МОСКВА
2013

УДК 82(1-87)
ББК 84(7США)
Б 87

Перевод с английского *Е. Денякиной*

Художественное оформление *В. Безкровного*

Браун С.

Б 87 Поцелуй на рассвете / Сандра Браун ; [пер. с англ. Е. Денякиной]. — М. : Эксмо, 2013. — 256 с. — (Сандра Браун. Мировой мега-бестселлер).

ISBN 978-5-699-67485-5

Их связала любовь, а разделили ревность и непонимание. Джон Райли, популярный телеведущий, слишком горд и вспыльчив, а его бывшая жена, продюсер Брин Кэссиди, – чересчур честолюбива. Их брак закончился крахом, но через семь месяцев, смирив гордыню, Джон пришел к Брин, желая понять, есть ли у него шанс возобновить их отношения. Он готов на все, чтобы вновь завоевать ее любовь, ведь после ухода Брин мир потерял для него все краски, а карьера полетела к черту...

УДК 82(1-87)
ББК 84(7США)

ISBN 978-5-699-67485-5

Глава 1

—Мисс Кэссиди, дорогуша!

— Да?

— Очень жаль, но, похоже, стол маловат.

Брин чертыхнулась, продолжая сражаться с «молнией» на спине. Когда она повернулась, пытаясь увидеть в зеркало, что именно мешает застегнуть «молнию», электрические щипцы для завивки выпали из волос, и тяжелая прядь упала на глаза. Брин отбросила локон и в отчаянии посмотрела на организатора приема.

— Послушай, Стюарт, постарайся как-нибудь разместить все. Бармен приехал?

— Я и так уже сделал невозможное! — раздраженно ответил Стюарт. — Говорю же, нужен стол побольше.

Брин бессильно уронила руки. Мельком взглянув в зеркало, она увидела свои глаза: один из них был тщательно накрашен, а другой оставался не тронутым косметикой. Между тем все было расписано по секундам, и всякие неожиданности вроде заевшей «молнии» или жалоб Стюарта никоим образом не вписывались в ее график. «Господи, и зачем я вообще затеяла эту вечеринку!» — в сердцах подумала Брин.

Она распахнула дверь ванной и чуть не столкнулась со Стюартом, который с не менее кислым выражением лица стоял у порога.

— Другого стола у меня нет, — заявила Брин. Не тратя времени на то, чтобы надеть туфли, она в одних чулках быстро пересекла спальню и сбежала вниз по лестнице. — Давай посмотрим, что можно сделать. Бармен уже приехал? — продолжала она, входя в гостиную, где был накрыт стол.

Платье соскальзывало с одного плеча, но Брин не обращала на это внимания: не стесняться же ей Стюарта.

Двое его помощников стояли, сложив руки на груди, с таким скучающим видом, будто дожидались автобуса. Брин метнула на бездельников недовольный взгляд, который, впрочем, никак на них не подействовал.

— Джеки должен был уже приехать, ума не приложу, что могло его задержать, — сказал Стюарт, имея в виду опаздывающего бармена. — У нас совершенно нет времени.

— Спасибо, ты меня очень утешил, — пробурчала Брин, придирчиво оглядывая стол. Угощение, разложенное на серебряных блюдах, выглядело аппетитно, но сами блюда стояли слишком тесно, кое-где наезжали одно на другое, а местами свисали над краем стола. «Может, характер у Стюарта и нелегкий, но свое дело он знает, в данном случае он прав», — подумала она.

— Ладно, уговорил, давай сделаем небольшую перестановку.

— Все из-за дурацкого букета в центре стола, — с отвращением проворчал Стюарт. — Лучше бы ты поручила выбрать цветы мне. Помнишь, я говорил...

— Помню, помню. Мне хотелось пригласить профессионального флориста.

— А нельзя ли убрать со стола эту штуку? — Стюарт сопроводил свои слова выразительным жестом. — Если нельзя, то дай мне хотя бы поменять местами некоторые цветы, чтобы было не так...

— Не смей их трогать! Я заплатила за этот букет сто долларов!

— За что заплатила, то и получила, радуйся, — ехидно заметил Стюарт.

Брин сердито взглянула на него и поправила прядь волос.

— Дело не в деньгах, флорист — моя близкая подруга, и она занималась аранжировкой цветов еще в те времена, когда тебя не было на свете.

«Наверное, я переволновалась, — подумала Брин. — Чего ради я трачу время на спор с этим самодовольным типом, когда с минуты на минуту сюда прибудут сорок человек гостей, а я еще не одета!» Она переключила все внимание на стол.

— А нельзя ли отнести некоторые блюда на кухню и подавать их по мере необходимости?

Стюарт театрально всплеснул руками:

— Ни в коем случае! Дорогая моя, кушанья расставлены с таким расчетом, что одни утоляют голод, другие возбуждают аппетит, кислое чередуется с...

— Ради бога, Стюарт, думаешь, гостей интересует твой порядок чередования закусок? Да им лишь бы поесть и чтобы еда была повкуснее, а остальное их не волнует. — Брин в задумчивости покусывала губу, изучая стол. — Ладно, — решила она наконец, — переставь тарелку с маринованными креветками на кофейный столик и позаботься, чтобы поблизости лежали зубочистки. А ты, — Брин обратилась к одному из праздно стоящих помощников, — переставь блюдо с сыром на стойку бара. Что еще... — Она снова огляделась. — По-моему, на столике возле дивана прекрасно поместится тарелка с фрикадельками по-шведски. Теперь на столе станет посвободнее.

Трое молодых мужчин испуганно переглянулись.

— Это самое настоящее варварство! — вынес приговор Стюарт.

— Не важно, просто делайте, что вам сказано. И где, скажи на милость, обещанный бармен? Скоро начнут собираться гости, а его все нет.

— Он должен быть с минуты на минуту.

— Если он не появится в самое ближайшее время, я начну вычитать время опоздания из твоего счета.

В дверь позвонили.

— Вот видишь, это наверняка он, — примирительно произнес Стюарт. — А ты волновалась.

Он бросился открывать, не дожидаясь, пока это сделает Брин.

— А вы кто такой? — требовательно спросил глубокий мужской голос.

Брин сразу узнала этот голос и почувствовала, что земля уходит у нее из-под ног.

— О-о-о, вот это да, с ума сойти! — воскликнул Стюарт, театрально всплеснув руками. — Глазам своим не верю! Брин не говорила, что вы тоже приглашены на вечеринку!

— Какого дьявола! О чем это вы толкуете? Какая вечеринка? — прорычал гость, явно не разделяющий восторгов Стюарта. — Где Брин?

Брин заставила себя сдвинуться с места и подойти к дверям.

— Спасибо, Стюарт. Думаю, тебе есть чем заняться.

Она сама удивилась, насколько спокойно прозвучал ее голос. В действительности под внешним спокойствием воцарился полный хаос. Сердце куда-то ухнуло, колени ослабели, грозя приблизиться по консистенции к знаменитому томатному желе Стюарта, от лица отхлынула кровь. Но она так искусно разыгрывала спокойствие, что вполне могла бы претендовать на премию «Оскар» за актерское мастерство.

Брин дождалась, пока Стюарт уйдет.

— Что ты здесь делаешь, Райли?

— Да вот, ехал мимо и решил заглянуть.

Райли небрежно прислонился к дверному косяку, и его глаза — черт бы их побрал, эти голубые глаза! — скользнули по ее телу от макушки до пяток. Казалось, ее непослушные локоны, ноги в одних чулках и незастегнутое платье, которое то и дело приходилось поправлять, его забавляли.

— Надо было сначала позвонить. Честно говоря, ты выбрал на редкость неподходящий момент. А теперь извини, с минуты на минуту прибудут гости, а я еще не закончила макияж...

— Вот оно что, а я было подумал, что накрашивать только один глаз — это последний писк моды.

— ...и прическу, — продолжала Брин, игнорируя его насмешку. — Бармен, которому давно следовало появиться, куда-то запропастился, а организатор приема — жуткий зануда.

— Похоже, тебе нужна помощь. — Прежде чем Брин успела что-то возразить, Райли решительно прошел в дом и обратился к Стюарту и его подручным, уставившимся на него в немом благоговении: — Ну что, ребята, все под контролем?

— Все в порядке, мистер Райли, все отлично, все идет по плану. — Стюарт буквально захлебывался от восторга. — Вам что-нибудь принести?

— Райли! — сквозь зубы прошипела Брин.

— Что? — невозмутимо откликнулся Райли, не обращая ни малейшего внимания на ее недовольство.

— Я хочу поговорить с тобой наедине. Можно?

— Как, прямо сейчас?

— Прямо сейчас.

— Конечно, сладкая моя. В спальне?

— На кухне. — Она быстро прошла мимо троих молодцов, все еще таращившихся на Райли, бросив на ходу как можно строже: — Займитесь делом.

Брин решительно толкнула дверь. Большая, оснащенная по последнему слову техники кухня с традиционным кафельным полом из выложенных в шахматном порядке черных и белых плиток и просторными шкафами всегда нравилась Брин. Сегодня здесь царил беспорядок, но Брин этого не замечала. Она остановилась посреди кухни и повернулась лицом к мужчине, отставшему от нее не больше чем на пару шагов.

— Райли, зачем ты пришел? — Она даже не пыталась скрыть раздражение.

— Захотелось тебя повидать.

— Через семь месяцев?

— Неужели прошло только семь месяцев?

— И ты совершенно случайно выбрал именно сегодняшний вечер?

— Откуда мне было знать, что ты устраиваешь вечеринку?

— Мог бы позвонить заранее.

— Это было импульсивное решение.

— Как и все твои решения!

Райли нахмурился.

Пожалев о своей резкости, Брин попыталась успокоиться и глубоко вздохнула.

— Откуда ты знаешь, где я живу?

— Знаю, и все. — Он медленно обвел взглядом кухню и красивый вид из широкого окна. — Русские холмы — адрес известный.

— Я здесь временно. Дом принадлежит моей подруге, которая уехала на два года в Европу.

— Я ее знаю?

— Нет, не думаю. Мы с ней учились в одном классе.

Брин боролась с желанием посмотреть на Райли. Беда в том, что, когда она на него смотрела, ей не хотелось отводить взгляд, а хотелось разглядывать и разглядывать его, впитывая мельчайшие детали. Но это означало бы только терзать себя понапрасну.

— Ты везучая. Стоило тебе уйти от меня, как твоя подруга тут же уехала в Европу. Удачнее не придумаешь. Или ты запланировала все это заранее?

Взгляд Брин метнулся к его глазам.

— Ради бога, Райли, не начинай сейчас этот разговор!

— А тебе не кажется, что семь месяцев — вполне достаточный срок, чтобы созреть для разговора? Все-таки мне интересно, почему моя жена в один прекрасный день взяла да и смылась, пока я был на работе.

Чувствуя себя неловко, Брин переминалась с ноги на ногу.

— Все было совсем не так.

— Разве? Тогда как же? Расскажи, я хочу знать.

— Неужели хочешь?

— Да.

— Однако ты не слишком торопился это выяснить. Почему же это вдруг стало так важно именно сегодня, через семь месяцев после моего ухода? Или у тебя в последний момент сорвалось какое-нибудь светское мероприятие, ты неожиданно остался один и заскучал от безделья?

Райли присвистнул:

— Эй, удар ниже пояса.

Он легонько шлепнул ее по животу. Точнее, чуть ниже. И гораздо ниже пояса. Брин отскочила. Ее не на шутку встревожило, что даже такое краткое прикосновение подействовало на ее самообладание сокрушительно.

— Прошу тебя, Райли, уходи. Я жду гостей, мне еще надо успеть причесаться и...

Брин осеклась, потому что Райли вдруг тронул ее за свисающую прядь волос. Он улыбался.

— А по-моему, со спутанными волосами ты просто очаровательна. Мне сразу вспоминается, как ты выглядела, когда вставала с постели.

— Я... я еще не оделась.

Взгляд Райли прошелся по всему ее телу до самых ступней.

— Какие у тебя симпатичные пальчики на ногах.

— Райли.

— И очень сексуальные. Помнишь, мы както обнаружили, что можно здорово завести друг друга, лаская их?

— Райли!

Брин сердито посмотрела на него, воинственно упершись кулаками в бедра. С каждой секундой он злил ее все больше. Злил и возбуждал.

— Помнишь, это было в ванне?

— О-о-ох! Все, хватит, некогда мне с тобой разговаривать. Я поднимаюсь в свою комнату.

Надеюсь, что, когда я вернусь, тебя здесь уже не будет.

— Минуточку. — Он удержал ее, схватив за руку. — У тебя «молния» не до конца застегнута, и поэтому платье все время съезжает с плеч. Но я не жалуюсь, у тебя такие красивые плечи, так бы и съел их... Или ты нарочно пытаешься меня возбудить, мельком показывая запретный плод?

— Райли...

— Стой спокойно. — Райли положил руки ей на талию. Когда он попытался вытащить ткань, застрявшую в замке «молнии», костяшки пальцев коснулись обнаженной спины Брин. — Ты чуть «молнию» не сломала.

— Честно говоря, я начала паниковать еще до твоего появления.

— Из-за «молнии»?

— О, «молния» — это только цветочки.

— Что, возникли проблемы?

— Ну, не то чтобы проблемы, просто мне хотелось, чтобы сегодня все прошло как по маслу.

— Значит, у тебя и впрямь вечеринка?

— Конечно, а ты что подумал?

— Не знаю. Может, думаю, вы со Стюартом празднуете начало совместной жизни.

— Очень смешно. Как там моя «молния»? Ты все еще с ней не справился?

С каждым ударом сердца Брин становилось все труднее стоять спокойно. Прикосновения рук Райли были так знакомы, до боли знакомы. Аромат его тела, тепло его дыхания, согревающее щеку, пробуждали воспоминания. Пока он занимался делом, которым обычно занимаются мужья — застегивал «молнию» на платье, — Брин не могла не вспомнить о других, счастливых, временах, которые давно пыталась стереть из памяти.

— Кто приглашен на вечеринку?

— Мои сослуживцы.

— С радиостанции?

Так. Значит, он знает и где она работает. Впрочем, для этого не нужно быть великим сыщиком, достаточно читать местные газеты. Когда Брин Кэссиди ушла от Джона Райли и из его популярного телевизионного ток-шоу «Утро с Джоном Райли», чтобы стать продюсером дискуссионного радиоклуба в прямом эфире, это стало настоящей сенсацией.

В то время многие строили догадки и о будущем их брака. Брин тогда досталось: сплетни, грязные инсинуации в прессе, постоянные вторжения в ее частную жизнь — через что ей только не пришлось пройти! Но это оказалось не самым трудным, гораздо труднее было учиться жить без Райли.

И вот он здесь, стоит рядом с ней, дотрагивается до нее, и Брин приходится мобилизовать все запасы выдержки и силы воли, чтобы только не повернуться к нему лицом и не броситься ему на шею.

— Райли, побыстрее, пожалуйста.

— Ты все еще не сказала, по какому случаю вечеринка.

— По случаю дня рождения мистера Уинна.

— Тогда понятно. Значит, это именинный пирог. — Райли кивнул в направлении большого шоколадного торта, стоящего на буфете.

— Ты все еще не разобрался с «молнией»?

— Итак, здесь будет сам Эйбел Уинн, президент и главный администратор «Уинн-компани».

— Ты с ним знаком?

— Встречался пару раз.

Райли наконец-то справился с «молнией» и, присев рядом с Брин, чтобы было удобнее, застегнул крючок, находившийся в каких-нибудь шести дюймах от талии. Покончив с застежкой, он запечатлел поцелуй на обнаженной спине Брин прямо между лопаток — как любил делать в те времена, когда у них был общий дом, общая постель.

Брин тихонько ахнула.

Райли выпрямился.

В этот самый момент в дверях возник Стюарт — как раз вовремя, чтобы увидеть, как щеки Брин заливает румянец, а лицо Райли расплывается в ухмылке.

— Так-так, — протянул Стюарт, — как вижу, вы знакомы.

— Он... гм... мой...

— Муж, — спокойно закончил Райли. — Могу я чем-нибудь помочь?

— Муж?!

— Вот именно, муж, — невозмутимо подтвердил Райли.

— Ну и дела... — Стюарт смерил Брин оценивающим взглядом, ехидным и завистливым одновременно.

— Зачем вы пришли?

Резкий тон Райли мгновенно привел Стюарта в чувство.

— Я хотел сказать миссис Райли...

— Мисс Кэссиди, — поправила Брин.

— Ах да, конечно, мисс Кэссиди. Кстати, меня зовут Стюарт. — На лице организатора приема появилась заискивающая улыбка.

— Очень приятно.

— Мне тоже. Так вот, я пришел сказать, что Стив и Барт проделали грандиозную работу, переставляя тарелки и подносы. Всю ночь они будут крутиться между гостями и следить, чтобы угощение не кончалось. Я взял на себя смелость вынуть несколько самых выпирающих — о, всего несколько! — цветов из этой так называемой цветочной композиции. По-моему, теперь стол выглядит вполне сносно.

— Отлично, — натужно проговорила Брин, мечтая только о том, чтобы Райли поскорее убрал руки с ее плеч и его бедра перестали прижиматься к ней сзади. К сожалению, сердце не поддерживало желания разума.

— Вот только боюсь, будет слишком тесно. Как бы нам не зажечь всех в зале, когда я внесу именинный пирог с горящими свечами.

Брин почувствовала, как Райли затрясся от смеха.

— Уверен, что мы можем рассчитывать на вашу осторожность, — сказал он.

— И еще одна проблема, совсем крошечная проблемочка.

— Какая?

— Джеки все еще нет. Не представляю, где он застрял.

— Осмелюсь ли я предположить, на чем именно он застрял? — сказал Райли тихо, чтоб слышала только Брин.

Она прикусила губу, чтобы не расхохотаться. Если несколько минут назад отсутствие бармена повергало ее в панику, то сейчас воспринималось как мелкая неприятность. Теперь ее волновала более животрепещущая проблема: как справиться с дрожью, которая проходила по ее телу всякий раз, когда ее ягодицы касались бедер Райли?

— Ничего, Стюарт, как-нибудь справимся.

— Мальчики просили узнать, *он* остается? — Стюарт кивнул на Райли.

— Да.

— Нет.

Оба ответа — его «да» и ее «нет» — прозвучали одновременно.

— О-о, — протянул Стюарт, — просто прелесть, обожаю пикантные ситуации!

— Ничего пикантного. По-моему, у тебя есть дела, Стюарт.

— Да, конечно. — Подмигнув Брин и послав Райли воздушный поцелуй, Стюарт удалился.

Брин с воинственным видом повернулась на сто восемьдесят градусов и встала лицом к Райли.

— Райли, ты не можешь остаться. Я прошу тебя уйти.

— Я тебе нужен. — На мгновение Брин задумалась, не скрыт ли в его замечании двойной смысл, но Райли развеял ее сомнения. — В качестве бармена.

— С этой обязанностью вполне может справиться один из помощников Стюарта.

— Но ты же слышала, «мальчики» будут всю ночь подносить угощения.

— Тогда я сама займусь баром.

— Ты? Хозяйка? Не говори глупостей. Стюарт тоже отпадает, он будет *занят* на кухне. Но если он попытается занять меня, я выгоню его в шею.

Брин стиснула зубы, чтобы не рассмеяться. Черт возьми, она не хотела, чтобы Райли вел себя как этакий душка! И уж тем более не хотела, чтобы он стоял рядом и улыбался этой своей пленительной, сексуальной улыбочкой или смотрел на нее своими неправдоподобно голубыми глазами, каких нет больше ни у кого на свете.

— Послушай, Брин, давай смотреть на вещи реально. У тебя нет выбора, так что кончай спорить и тащи свою очаровательную задницу наверх. Одевайся, причесывайся, докрашивай левый глаз, а мне предоставь заняться делами здесь. Да, кстати, не забудь про туфли.

Отец Брин любил повторять, что хороший солдат должен уметь проигрывать. Брин признала свое поражение.

— Можешь вставать за стойку, но, если Джеки все-таки появится, я рассчитываю, что ты безропотно уйдешь, не устраивая сцены.

— С чего мне начать?

Райли сбросил с плеч ветровку и перекинул ее через спинку стула. Он был в джинсах и спортивной рубашке. «Пусть он одет по последней моде, пусть одет со вкусом, — думала Брин. — Пусть так, но нельзя же, чтобы в их первую после семимесячной разлуки встречу он выглядел совершенно сногсшибательно, тогда как я похожа на жертву кораблекрушения».

— Ты даже не одет для вечеринки.

— Это называется калифорнийский шик.

— Но у меня почти официальный прием.

— Значит, я буду выделяться. — Райли чуть заметно повысил голос, но он по-прежнему оставался мягким, как бархат, и сладким, как мед. — К тому же я помню случаи, когда ты предпочитала видеть меня совсем без одежды. — Его глаза пронизывали Брин насквозь. — Многочисленные случаи.

Брин облизнула пересохшие губы. Из их словесного поединка он, несомненно, вышел победителем.

— Лимоны лежат вон там. — Она указала на пластиковые контейнеры с фруктами, стоящие на разделочном столе. — Порежь их ломтиками. Вынь из банок оливки и вишни и разложи их по мелким тарелочкам. Бар примыкает к гостиной.

— Как-нибудь не заблужусь. Бокалы есть?

— Сколько угодно. За стойкой бара.

— Лед?

— Под стойкой бара — два полных контейнера.

— Открывалки для консервов?

— Там же.

— Нет проблем! — важно заявил Райли. — И последнее. Где ножи?

— Во втором ящике справа от раковины.

Он достал самый длинный нож и эффектно взмахнул им, изображая фехтовальщика.

Черт возьми, до чего же он хорош!

— Брысь отсюда!

Брин двинулась к двери, решив убраться с кухни от греха подальше, пока она не поддалась искушению броситься на шею Райли и расцеловать его только за то, что он так красив.

Сев за мраморный туалетный столик в ванной, она разложила перед собой тени, румяна, помаду и занялась макияжем. Но все почему-то стало валиться из рук. Брин не удивилась бы, если бы в результате своих неловких манипуляций стала похожей на разрисованного клоуна. Однако макияж, как ни странно, получился удачным, он подчеркивал ее достоинства, скрывал недостатки и при этом выглядел совершенно естественным.

Надевая туфли, Брин услышала звонок в дверь. «Надеюсь, Стюарт догадается встретить гостей», — подумала она, брызгая на себя духами. Брин в последний раз провела расческой по волосам и надела на запястье изящный браслет с бриллиантом. Оставалось только поправить чулки. Но когда она попыталась это сделать, тонкий нейлон зацепился за браслет, и на чулках появилась зацепка.

Брин разразилась потоком ругательств, совсем не подобающих настоящей леди. Только бы эта пара черных чулок не оказалась последней! Она метнулась к шкафу. К счастью, запасные нашлись, но к тому времени, когда Брин переоделась, она превратилась в сплошной комок нервов.

Хозяйка опоздала на собственную вечеринку! Брин помчалась вниз по лестнице. А все Райли, это он во всем виноват! Как он посмел расстроить ее вечеринку, испортить ей этот вечер?!

Райли, Райли, Райли.

Почему он решил объявиться именно сегодня? У него было семь месяцев, чтобы с ней связаться, семь месяцев, на протяжении которых он ни разу даже не позвонил. Впрочем, Райли не из тех, кто следует общепринятым правилам поведения. Чтобы появиться на пороге ее дома, он выбрал самый неподходящий момент.

«Он хорошо выглядит». *Кого ты пытаешься обмануть, Брин? Он выглядит великолепно.*

«Пожалуй, немного похудел». *Тебе почудилось. Видит бог, целые толпы женщин были бы счастливы для него готовить, стоит ему только намекнуть.*

«В волосах появилась седина». *От этого его глаза кажутся еще голубее.*

Но как бы сногсшибательно Райли ни выглядел, как бы он ни был мил и обаятелен, никто не давал ему права срывать ей вечеринку. И какие бы чувства он в ней ни вызывал, она вовсе не рада его видеть.

Да, конечно, а мост «Золотые ворота» находится не в Сан-Франциско.

Помедлив на последней ступеньке лестницы, Брин вздохнула поглубже и уже без спешки сошла в гостиную и сразу же окунулась в веселую суету.

— А, Брин, наконец-то! Мы уж начали думать, что ты удрала с собственной вечеринки.

— Отлично выглядишь.

— Потрясающее платье. Почему ты никогда не надевала его на работу?

— Дурак, потому что если бы она его надела, никто бы и не вспомнил о работе.

Брин окружили первые гости, она обменивалась с ними любезностями и рассыпалась в извинениях за то, что слишком поздно спустилась в гостиную.

— Угощайтесь, берите закуски, коктейли.

— Мы уже познакомились с твоим баром. И не думай, что не заметили знаменитость, которая у тебя сегодня за бармена.

Брин украдкой бросила на Райли взгляд поверх гостей. Стоя за стойкой бара, он манипулировал бутылками, стаканами и шейкером с ловкостью профессионального жонглера. Вокруг него уже собралась толпа восторженных поклонниц. Брин порадовалась, что в свое время сказала коллегам, будто они с бывшим мужем расстались друзьями. Если повезет, никто не посчитает появление Райли на сегодняшнем вечере странным.

— Райли решил сделать сюрприз, — сдержанно заметила Брин, наблюдая, как очередная поклонница игриво скармливает Райли вишню. Он зубами взял ягоду из пальцев женщины, и та довольно захихикала.

— Хочешь сказать, что ты его не приглашала?

Брин не нравилось, когда ее загоняли в угол. И у нее был нюх на вопросы с подвохом. Стряхнув оцепенение, она безмятежно улыбнулась и проговорила тоном светской львицы:

— Прошу меня извинить, я должна встречать остальных гостей.

С этими словами она стала пробираться к двери, по дороге расточая направо и налево улыбки и шутки. Стюарт стоял у дверей, заменяя хозяйку.

— Спасибо, Стюарт, ты делаешь гораздо больше, чем входит в твои обязанности.

— Не волнуйся, дорогуша, это будет включено в мой счет. Кстати, пока я здесь стою, булочки в печи запросто могли сгореть.

Нет, все-таки Стюарт сегодня схлопочет! Он явно на это напрашивается.

— Добрый вечер, очень рада, что вы смогли прийти. — На лице Брин сияла обаятельнейшая улыбка. Гости все прибывали — парами и по нескольку человек. Когда, в очередной раз открыв дверь, Брин увидела на пороге Эйбела Уинна, заученная улыбка на ее лице сменилась искренней. — А вот и наш почетный гость. С днем рождения, Эйбел!

Эйбел Уинн, мужчина неопределенного возраста, был не очень высок, но отличался крепким телосложением. Всегда безукоризненно одетый, он распространял вокруг себя ауру уверенности и власти. Одного взгляда на него было достаточно, чтобы понять: перед вами прирожденный лидер. У Эйбела были умные проницательные глаза и лицо тевтонского рыцаря. При виде Брин его суровые черты смягчила улыбка, в которой сквозила неподдельная радость.

— Брин, дорогая, вам не следовало затевать все это ради меня одного. — Наклонившись к Брин, он двумя руками взял ее руку и сердечно пожал. — Но я рад. Обожаю вечеринки. Особенно в мою честь.

Рассмеявшись вместе с Эйбелом, Брин жестом пригласила его проходить в дом.

— Проходите, угощайтесь. Еды и выпивки сколько угодно.

— А вы ко мне присоединитесь?

— К сожалению, мне нужно выполнять обязанности хозяйки. Может быть, позже получится.

— Буду ждать с нетерпением. — Эйбел посерьезнел. — Кстати, о нетерпении...

— Время вышло, я знаю, — перебила его Брин. — Завтра истекает срок, который вы мне дали на раздумья.

— Вы что-нибудь решили?

— Пока нет, Эйбел.

— А я-то надеялся, что ваше решение будет мне подарком ко дню рождения.

— Эйбел, это очень серьезный вопрос. — Брин непроизвольно поискала глазами Райли и почувствовала себя неловко, когда вдруг наткнулась на взгляд голубых глаз, смотревших на нее из противоположного конца комнаты. Между черными бровями Райли пролегла хмурая складка. Райли перевел взгляд на Эйбела, потом снова посмотрел на нее. — Дайте мне время до завтра, обещаю, что утром обязательно сообщу ответ.

— Надеюсь, что это будет тот ответ, на который я рассчитываю. — Эйбел похлопал Брин по руке и отпустил ее. — Поговорим позже. — Он отошел и смешался с толпой гостей.

Кто-то включил стереосистему, взревела музыка, но голоса зазвучали еще громче. Вечеринка была в полном разгаре. «Может, начало получилось не самым удачным, но, к счастью, дальше все пошло хорошо», — удовлетворенно подумала Брин.

— Чудесно, Брин, ты превзошла саму себя. — Женщина, протиснувшаяся поближе к ней, была одета в атласное платье нефритового цвета. Брин узнала сотрудницу отдела продаж радиостанции.

— Спасибо.

— Как ты ухитрилась так здорово все организовать?

— И не спрашивай. — Брин поморщилась. — До последней минуты вечеринка грозила превратиться в катастрофу с заглавной буквы К.

— Но видишь, как хорошо все обернулось. Пригласить барменом Джона Райли — отличная мысль. Должно быть, у вас был очень дружественный развод. Как тебе удалось его уговорить?

— Наверное, я просто везучая.

Собеседница Брин была так увлечена, пожирая глазами Райли, что не почувствовала в ее голосе сарказма. Брин попыталась посмотреть на Райли беспристрастно, глазами другой женщины. Он был до того красив, что дух захватывало. Черные с проседью волосы подстрижены и уложены на самый что ни на есть щегольской манер, но при этом даже с модной прической он похож на мальчишку, а несколько непокорных прядей спадают на лоб, так и маня женщину коснуться их пальцами.

Худое, продолговатое лицо, которое отлично смотрится перед телекамерой в любом ракурсе. Упрямый подбородок, точеный нос, решительный рот с тонкими губами. Когда Райли улыбается, в углах рта явственно обозначаются две ямочки.

Глаза — такие голубые, что небу остается только позавидовать. «Когда ты на меня смотришь, я чувствую себя так, будто меня насилует ангел», — призналась как-то Брин в романтическую минуту. Тогда Райли ее не понял и принял ее слова за лесть, но другая женщина без труда поймет, что она имела в виду. Когда Райли смотрит на женщину своим особенным, интимным взглядом, его глаза пронизывают насквозь. Это похоже на вторжение, но самое нежное, самое восхитительное вторжение, какое только можно себе представить.

Райли высокого роста, но не долговязый; стройный, но не тощий, а мускулистый и крепкий. На его атлетической фигуре даже мешок из рогожи будет выглядеть как творение знаменитого модельера. Кажется, одежду и изобрели в расчете на такие тела, как у него. Впрочем, Райли прекрасно смотрится и без одежды: шесть футов четыре дюйма загорелого мужского тела, в нужных местах покрытого мягкими темными волосками. А при виде волос на его груди у любой женщины потекут слюнки.

И он это знает.

Пока Брин и ее собеседница разглядывали Райли, к тому подошел Стюарт и стал что-то говорить, сопровождая речь энергичной жестикуляцией. Райли что-то ответил, и, судя по всему, Стюарту его ответ не понравился. Организатор приема, уперев руки в бока, состроил умоританьную гримасу. Райли обшаривал взглядом сборище гостей, пока его глаза не нашли Брин. Докричаться до нее сквозь шум было невозможно, руки у Райли были заняты, поэтому он вздернул подбородок и выразительно мотнул головой, подзывая Брин к себе.

Извинившись перед собеседницей, Брин стала протискиваться к бару.

— Что случилось?

— Спроси у него. — Райли кивнул на Стюарта.

— Ну? Так в чем дело?

— Один гость, — начал Стюарт, всем своим видом выражая крайнюю степень возмущения, — один ужасный, неотесанный грубиян из Оклахомы или еще какого-то столь же дикого места пьет пиво. Представляешь, пиво!

— Стюарт, ближе к делу! — поторопила Брин.

— Он попросил у меня соленых орешков. Ты представляешь, орешков! Серьезно, он так и сказал! Я спросил у *него*, — Стюарт подчеркнул голосом последнее слово, вяло махнув рукой в сторону Райли, — есть ли у нас орешки, а он...

— А я велел ему держаться от меня подальше.

О господи! Надо же было ухитриться нанять организатора, от которого одна сплошная головная боль!

— Кажется, у меня на кухне есть то, что ему нужно. Пойду принесу.

По сравнению с шумом и суетой в гостиной кухня напоминала тишиной и спокойствием церковь. Брин зашла в кладовку, зажгла там свет и принялась переставлять с места на место коробки с кукурузными хлопьями и печеньем, вспоминая, что вроде бы несколько дней назад ей попадалась на глаза банка с жареным кешью. На пол упала длинная тень.

— Потерпи минутку, Стюарт, сейчас я найду тебе орехи, они должны быть где-то здесь.

— Не сомневаюсь, что Стюарт будет рад это услышать.

— Райли!

Брин вскрикнула и обернулась на звук знакомого голоса — глубокого, бархатного. Не голос, а мечта звукооператора.

— Где Стюарт?

— Я оставил его вместо себя в баре. Думаю, ему по силам смешать шотландское виски с содовой.

Брин удивленно округлила глаза, ошеломленно наблюдая, как Райли берется за ручку и закрывает за своей спиной дверь кладовки. Кладовка была довольно просторная, но, оказавшись запертой в ней с Райли, Брин почувствовала, что стены как будто сдвинулись.

— Что ты делаешь?

— Запираю тебя.

— Но...

— Я по тебе скучал, Брин.

— Это просто...

— Я больше не намерен терять ни секунды: мне не терпится вспомнить, какова ты на вкус.

Глава 2

Рот Райли был голодным и требовательным, и Брин почувствовала это с первого поцелуя. Не было никакой прелюдии, никакого поддразнивания, никакого постепенного обольщения. Он не дал Брин времени воспротивиться или хотя бы подготовиться к атаке. Какое-то мгновение, один удар сердца, и вот уже его губы слились с ее губами. Горячие, властные, возбуждающие, настойчивые.

Брин разделилась надвое: рассудительная часть ее существа испуганно попятилась и в панике бежала, а другая часть, оставшись без защиты рассудка, с готовностью откликнулась на поцелуй. Вкус губ Райли, их жар и твердость были так знакомы! Брин окунулась в забытые ощущения, как человек закутывается в старый удобный халат. Ни один мужчина не умеет целоваться так, как Райли. О, как хорошо она помнит настойчивое давление его языка... Да, да, так, именно так. Она помнит эти резкие, глубокие толчки, эту его жадность, от которой кажется, что он умирает от желания. И эти легкие, как касание перышка, ласкающие прикосновения. И это медленное, чувственное отступление, и неторопливое скольжение вдоль ее зубов. И как он напоследок облизывает ее губы, это она тоже помнит.

— Я так по тебе скучал, мне тебя не хватало. Я не мог больше терпеть ни дня, мне нужно было тебя увидеть. Ах, Брин, Брин...

Райли снова стал целовать ее, и Брин словно со стороны услышала чувственный стон, вырвавшийся из ее груди. Тело ее отреагировало на поцелуи жаром и влажностью, и раньше такая ее реакция непременно привела бы их в постель.

Райли был горячим и твердым. О, это Брин тоже помнила.

Почувствовав знакомую твердость у своего живота, Брин поняла, что, если не остановит Райли прямо сейчас, события вырвутся из-под контроля. Она возненавидит себя, если допустит, чтобы это произошло.

— Нет, Райли, — не сказала, а прошептала, прошелестела на выдохе Брин, и потому протест прозвучал не слишком убедительно.

Удивительно, что ей удалось вообще произнести какие-то слова. Губы Райли нежно касались ее шеи, перемежая поцелуи с легкими покусываниями, затем его язык нырнул в треугольную ямку у основания шеи.

— А-ах, Райли, прошу тебя, не надо...

— Тебе по-прежнему нравится, когда я так делаю, правда?

— Нет.

— Лгунишка.

Тихие всхлипы, сорвавшиеся с ее губ, подтвердили его правоту. Рука Райли нашла ее грудь, и Брин вся затрепетала.

— Райли, прекрати.

— Что прекратить? Это?

Большой палец Райли продемонстрировал свое мастерство. Брин застонала.

— Я серьезно. Прекрати! Это безумие...

Последовал еще один поцелуй — менее настойчивый, чем первый, но в тысячу раз более возбуждающий. У Брин ослабели колени.

— Так нечестно.

— Чертовски верно подмечено. Я хочу, чтобы на тебе не было одежды.

— Нет, я имела в виду... — Брин едва дышала. — О, так бы и убила тебя за это.

Райли беззвучно рассмеялся, дыша ей в ухо.

— Разве можно меня винить? Ты сегодня так соблазнительно выглядишь. Тебе всегда очень шло черное.

Вечернее платье из черного бархата было редкостной находкой, едва увидев его на вешалке в бутике Магнина, Брин сразу поняла, что оно создано для нее. Длинные рукава плавно сужались к запястьям, узкая юбка превосходно подчеркивала стройность бедер, а по низу, чуть ниже колен шла оборка из черного атласа. Прямоугольный вырез на груди был довольно прост, зато на спине глубокий каплеобразный вырез спускался почти до самой талии, не доходя до нее лишь на несколько дюймов.

Пальцы Райли игриво заскользили по спине Брин, повергая ее в трепет и заставляя сожалеть о слишком смелом вырезе на спине. «Ну почему, почему я позволяю проделывать с собой все это? — спрашивала себя Брин. И сама же отвечала: — Да потому, что я слабая, вот почему». Когда дело касалось Райли, ей вечно не хватало силы воли. Она повела себя глупо и безответственно, совершила опрометчивый поступок и поплатилась за это. Неужели она никогда не станет серьезнее? Разве ей мало уроков, которые уже преподала судьба? Неужели ради нескольких поцелуев она готова пожертвовать своей независимостью? Нет!

Брин оттолкнула Райли. Он не выпустил ее из объятий, но поднял голову и заглянул в ее мятежные глаза.

— Все еще бесишься? Почему ты не скажешь, в чем я провинился?

— Я никогда не бешусь, разве я похожа на человека, который сошел с ума?

— А, ясно, ты ушла потому, что *не* сходила по мне с ума.

— Райли, я не хочу играть в словесные игры, а даже если бы и хотела, сейчас не время. Ты что, забыл, что у меня полон дом гостей?

— Ты по-прежнему хранишь в заначке «эм-энд-эмс»?

— Что?!

В возгласе Брин смешались изумление и возмущение.

— Да ладно тебе, не притворяйся, будто не понимаешь, о чем я говорю, — поддел Райли. — Ты всегда прятала в кладовке маленькую корзиночку с орешками в шоколаде «эм-энд-эмс».

— Ничего подобного!

— Я знаю, почему ты это делала. — Райли рассмеялся и шутливо дернул ее за нос. — Ты же поклялась не есть шоколада, вот и не хотела, чтобы я знал, как ты тайком их таскаешь.

— Но ты тоже их таскал!

Брин густо покраснела, сообразив, что попалась в ловушку и во всем призналась.

Пока они разговаривали, Райли осматривал полки, заставленные консервными банками, пакетами с крупой и бутылками растительного масла. Найдя то, что искал, он испустил победный клич и протянул руку за корзиночкой конфет, спрятанной позади двух банок грейпфрутового сока. Открыв корзинку, он достал горошину «эм-энд-эмс» и бросил себе в рот, потом достал еще одну и, прежде чем Брин успела увернуться или отвести его руку, просунул конфету между ее губами.

— Почему ты никогда не говорил, что знаешь мою тайну?

— Ты же знала, что я знаю, разве нет? — мягко спросил Райли, улыбнувшись той самой подкупающей улыбкой, перед которой Брин никогда не могла устоять.

Она невольно улыбнулась в ответ:

— Да. Почему мы оба делали вид, что это тайна?

— Потому что так было интереснее. Зачем портить игру? — Озорные искорки в его глазах перешли в ровное голубое пламя. — В нашей жизни было много интересного, правда, Брин?

— Но и трудностей хватало.

— Они есть в каждой семье. Не думаю, что у нас их было больше, чем у других.

— Знаю, — тихо ответила Брин, опуская глаза. — Но это были мои проблемы, не твои.

— И ты решила страдать молча? Брин, почему ты не рассказала мне о своих проблемах тогда, раньше?

— Я не хочу об этом говорить.

Брин протянула руку за спину Райли и дернула ручку. Дверь не поддавалась, потому что Райли придерживал ее рукой, не позволяя открыть.

— Зато я хочу, черт возьми!

— Сейчас не время для таких разговоров.

— Время давно прошло. Черт побери, женщина, прошло семь месяцев! Я хочу знать, и немедленно, почему моя жена, моя возлюбленная, ушла от меня!

Райли взорвался, что случалось с ним нередко. Его ярость могла привести в ужас операторов и инженеров, даже менеджеров телестудии, но Брин еще в самом начале их знакомства научилась не пасовать перед ним. И сейчас она тоже не собиралась отступать перед его гневом. Пусть Райли превосходил ее силой и ростом, но по воинственности Брин нисколько ему не уступала. Она с вызовом посмотрела ему в глаза.

— Я не собираюсь говорить на эту тему, это бесполезно и ни к чему хорошему не приведет.

— Ты хочешь сказать, что мы не в состоянии разрешить твои проблемы?

— Да, вроде того.

— Не верю!

— Поверь мне на слово.

— Здесь замешан другой мужчина? Говори, в этом все дело?

— Нет.

— Тогда в чем же? Какая еще проблема может быть настолько безнадежно неразрешимой, что мы не в состоянии вместе справиться с ней?

— Райли, ты ошибаешься.

— Это Эйбел Уинн?

— Что-что?

— Ты ушла от меня к Эйбелу Уинну? Бросила меня, чтобы спать с ним?

Брин залепила ему пощечину. Залепила со всего маху. Это был первый случай, когда один из них поднял руку на другого. Брин в ужасе смотрела, как на щеке Райли проступает отпечаток ее руки. «Неужели я действительно это сделала?» — мысленно ужаснулась она. Она бы, наверное, не поверила, если бы рука не горела так, словно в нее вонзаются тысячи булавок. И теперь она с ужасом ожидала ответной реакции Райли.

Но Райли, вместо того чтобы прийти в ярость, улыбнулся. Он испытал неимоверное облегчение: реакция Брин показала, что его обвинения несправедливы. То, чего он боялся больше всего на свете, не подтвердилось: Брин не полюбила другого. Собираясь сегодня к ней, Райли был готов на все, чтобы ее вернуть, пойти на любые компромиссы, залечить любые раны. Но если бы она полюбила другого мужчину, тем более такого влиятельного и богатого, как Уинн, у него бы не было никаких шансов.

Улыбка Райли заставила Брин вмиг позабыть все страхи и подлила масла в огонь ее гнева.

— Как ты смеешь говорить такое? — яростно прошипела она. — Я была тебе верна. Неужели тебе могло прийти в голову... У-ух?

Брин рванула ручку двери, и на этот раз Райли не стал ей препятствовать. Однако он и не думал оставлять ее в покое. Когда Брин вышла из кладовки, он последовал за ней, отставая на каких-нибудь полшага.

— В гневе ты всегда была восхитительна, — поддразнил он. — Помнишь, в день, когда мы познакомились, ты была похожа на фурию.

— Нет.

Райли схватил ее за плечи и рывком повернул к себе лицом. Брин оказалась слишком близко к нему; голова ее запрокинулась, грудь прижалась к его груди.

— Черта с два «нет»! — прорычал Райли.

А в следующее мгновение он звонко поцеловал ее.

— Честное слово, ребята, всякий раз, когда я застаю вас одних, вы приводите меня в изумление, — протянул стоящий в дверях Стюарт. — Чем это вы все-таки занимаетесь?

Брин вырвалась из рук Райли и, оставив его объясняться со Стюартом, сбежала. Вернувшись в гостиную, она первым делом направилась к бару и быстро налила себе бокал белого вина. Выпив его чуть ли не залпом, Брин поспешила отойти от стойки, пока Райли не вернулся на свой пост.

Он просто невыносим! Брин молча вскипала от гнева. Его самомнение выходит за всякие рамки. А наглость... тут ей вообще не хватало слов. Только Райли могло прийти в голову преспокойненько заявиться к ней в дом после того, как они не виделись семь месяцев, запереть ее в кладовке и целовать так, как он целовал... даже не спросив предварительно: «Как поживаешь, Брин?»

Брин как ни в чем не бывало улыбалась гостям. Похоже, ее временного отсутствия никто не заметил. Кроме Эйбела. Встретившись с ним взглядом, Брин прочла в его глазах вопрос. Она вдруг засомневалась, все ли у нее в порядке с внешностью, не разлохматил ли ей Райли волосы, не помял ли платье? А губы, неужто они и впрямь так припухли и горят, как ей кажется? За считаные минуты, проведенные в кладовке, Райли сумел возбудить ее до лихорадочного состояния. Неужели то, что она чувствует, заметно окружающим?

Приклеив на лицо фальшивую улыбку, Брин присоединилась к ближайшей паре. Супруги оказались весьма общительными и тут же стали оживленно рассказывать ей о своей трехмесячной дочери. Но проблемы детского питания, смены подгузников и общения с педиатрами не могли отвлечь Брин от ее собственных раздумий. Мысли ее неумолимо возвращались к тому дню, о котором напомнил Райли. К дню их знакомства.

Это был ее первый день на новой работе, и вполне естественно, что Брин волновалась. Припарковав на отведенном ей месте машину, она направилась к служебному входу в студию. Проверив пропуск, охранник впустил ее в здание.

— Вам доверена очень ответственная работа, — предупредил ее менеджер по персоналу во время состоявшейся несколько дней назад беседы. — Хочу вас сразу предупредить, что с ним нелегко работать: артистический темперамент, ну, вы понимаете.

Еще бы ей не понять. Артистический темперамент! Это еще мягко сказано! Да у Джона Райли самая настоящая звездная болезнь, причем в тяжелой форме. Любому, кому приходится иметь дело с тираном, пораженным этим недугом, можно только посочувствовать.

Помнится, тогда она ответила весьма самонадеянно:

— Я уверена, что смогу работать с мистером Райли.

Менеджер лишь крякнул.

— Будем надеяться, — несколько скептически заметил он. — Вы не первая, кого мы пытаемся назначить продюсером ток-шоу «Утро с Джоном Райли», до вас на эту должность пробовались еще несколько человек: и мужчины, и женщины. К сожалению, пока нам не удалось найти человека, в котором сочетались бы нужные способности и личные качества.

— Вы хотите сказать, что всех претендентов отпугнул ужасный характер мистера Райли? — Менеджер вскинул брови, изумленный ее прямотой. — Уверяю вас, от меня не так легко избавиться.

«Только бы мне не растерять эту уверенность», — думала Брин, шагая по длинному темному коридору, в котором чувствовался застоявшийся запах табачного дыма. Точно такие же коридоры были и на двух других телестудиях, где она работала раньше.

Еще не успев открыть тяжелую толстую дверь в студию, Брин услышала крики и плач. Она почувствовала себя Алисой, попавшей на безумное чаепитие, и одновременно почему-то укротителем, входящим в клетку со львом без хлыста. И в том и в другом случае шансов остаться целой и невредимой немного.

— Каким местом ты думала? Можешь не отвечать, позволь, я сам догадаюсь. — Догадка, высказанная Джоном Райли, которого Брин сразу узнала по голосу, прозвучала так непристойно, что Брин поморщилась. — Ты и раньше вела себя как безмозглая невежественная дура, но этот идиотизм уже ни в какие ворота не лезет! Надо же было так напортачить! — Он замолчал, чтобы перевести дух, и жестом, выдающим нетерпение, запустил пальцы в волосы.

Жертва словесной порки — девушка лет двадцати — стояла перед Райли, закрыв лицо руками, и громко рыдала, содрогаясь всем телом. Присутствующие члены съемочной группы реагировали на происходящее по-разному. Оператор стоял, небрежно положив руку на дорогую камеру, и с нескрываемым удовольствием наблюдал за разыгравшейся сценой с видом заинтересованного зрителя, даже забыв о прилипшей к губе сигарете. Какая-то девица в футболке, джинсах и кроссовках сидела, скрестив ноги по-турецки, прямо на бетонном полу и сосредоточенно жевала жвачку, время от времени надувая пузыри. Два молодых парня увлеченно листали номер «Пентхауса». Но больше всего Брин поразил мужчина, который ухитрялся спать, несмотря на шум, причем его стул стоял на двух ножках, а спинка упиралась в стену.

Райли расхаживал взад-вперед перед рыдающей девушкой, бросал на нее убийственные взгляды и время от времени отрывисто произносил не менее убийственные фразы. Слова вылетали как пули из автомата:

— Что мне теперь делать? Как ты себе это представляешь? Шоу должно быть записано на пленку, эфир завтра. Завтра! А меня окружают одни идиоты вроде тебя, которые даже не могут... — Он замолчал.

«Одно из двух, — подумала Брин, — либо ему не хватило воздуха, либо иссяк запас ругательств».

Его жертва воспользовалась паузой, чтобы вставить словечко:

— Сегодня должна выйти на работу новый продюсер, может, ей удастся ее усмирить.

— «Она, ей, ее», — передразнил Райли. — Какой еще продюсер? Наверняка они наняли очередную дебютантку, у которой сиськи больше, чем мозги. Нет уж, избавь меня от нового продюсера. Обязанности продюсера должна была выполнять ты, и посмотри, что мы имеем! Это просто катастрофа!

— Извините, я... я не знаю...

— Вот именно.

Девушка всхлипнула и снова закрыла лицо руками. Брин решила, что с нее довольно. Она вышла на несколько шагов вперед, чтобы попасть из темноты в освещенную часть студии.

— Прошу прощения.

Ведущий ток-шоу «Утро с Джоном Райли» резко развернулся и пронзил Брин взглядом самых голубых глаз, какие ей только доводилось видеть. Эти глаза стали легендой, и Брин сразу же поняла почему. Они стоили всех восторженных эпитетов, расточаемых в их адрес.

По-видимому, в этой студии не привыкли к тихому спокойному голосу, здесь он возымел такое же действие, какое в любом другом месте мог возыметь вой сирены пожарной сигнализации.

Жертва Райли перестала плакать и посмотрела на Брин. В мокрых от слез глазах зажегся огонек надежды.

Оператор передвинул сигарету из одного угла рта в другой, уронив при этом на пол длинный столбик пепла.

Спавший мужчина проснулся, и его стул с грохотом приземлился на все четыре ножки.

Девица на полу, застыв с надутым пузырем во рту, уставилась на Брин.

Голос Брин привлек внимание даже читателей «Пентхауса». Четыре пары глаз посмотрели на нее поверх глянцевой обложки.

Райли замер на месте и высокомерно окинул Брин оценивающим взглядом.

— Не говорите, я сам догадаюсь.

— Вы уже догадались, мистер Райли. Я та самая дебютантка, у которой сиськи больше мозгов. — Кто-то хихикнул, кто-то закашлялся. Голубые глаза уставились на ее груди. Брин не дрогнула. — Как видите, они не такие уж большие. Но смею вас уверить, серого вещества у меня достаточно. Кто-нибудь может мне объяснить, что здесь происходит?

Все заговорили одновременно. Брин вскинула руки, призывая к молчанию.

— Как мне кажется, мистер Райли расстроен больше всех, так что давайте начнем с него.

— Я никогда не расстраиваюсь, мисс..?

— Кэссиди. Если бы вы, мистер Райли, соизволили присутствовать на собеседовании, вы бы знали мое имя. Мы могли бы тогда же устроить производственное совещание, и, как знать, возможно, катастрофы, о которой я тут слышала, можно было бы избежать. — «Один — ноль в мою пользу», — подумала она.

— Я уезжаю со студии в два часа. — Холодные голубые глаза не потеплели ни на йоту. — Собеседование было назначено на четыре. Не мог же я болтаться где-то целых два часа?

— Но если бы вы тогда задержались, — возразила Брин медоточивым голосом, — вам бы не пришлось рвать и метать сегодня утром, как вы полагаете?

— Минуточку...

— Если я правильно поняла, у нас нет ни одной лишней минуты, — решительно перебила Брин. — Вы хотите, чтобы передача была записана на пленку или нет? Изложите мне суть проблемы, и давайте решать ее вместе. А после, когда у нас будет время, можете на меня наброситься, если уж вам так хочется.

Райли стиснул зубы, на скулах заходили желваки. Казалось, он вот-вот взорвется. Брин спокойно ждала, молча глядя на него. Наконец он заговорил, выстреливая слова короткими очередями:

— Растяпа Уит назначила моей гостье — кстати, весьма эксцентричной особе с розовыми волосами — время на час раньше положенного. Гостье пришлось ждать, пока мы все подготовим, естественно, она пришла в ярость. Она так визжала, что я удивляюсь, как не полопались стекла во всем здании, пришлось буквально запереть ее в комнате. У нее истерика, она ведет себя как ненормальная.

— Насколько я могу судить, к этому здесь привыкли, — вставила Брин.

Райли метнул на нее уничтожающий взгляд, но ради экономии времени оставил ее замечание без ответа.

— Студия не была подготовлена к записи, потому что она, — Райли наставил палец на съежившуюся заплаканную девушку, — она забыла включить нас в график, который и в лучшие времена забит до отказа. За час мы должны все здесь переделать, потому что утром в этой студии записывают программу новостей.

Закончив свой монолог, Райли с вызовом уставился на Брин, словно говоря: «Ну, что ты на это скажешь? Что просила, то и получила. Теперь разбирайся». Вид у него был почти довольный. Во всяком случае, самодовольный. Райли ждал ее реакции.

Дочь адмирала Кэссиди никогда не пасовала перед вызовом. Она повернулась к хныкающей девушке, которую Райли назвал растяпой Уит:

— Как вас зовут?

— Уитни, — еле слышно ответила та.

— Уитни Стоун, стажер, дочка менеджера по продажам, с которой мне велено нянчиться, — вставил Райли.

— Лучше помолчите! — Брин повернулась к нему лицом. Оператор тихонько присвистнул. Девица со жвачкой чуть не проглотила пузырь. — Что толку от ваших нападок?

Прежде чем Райли успел что-нибудь возразить, Брин уже снова повернулась к девушке:

— Кончайте плакать, слезами делу не поможешь. Первое, чего я от вас хочу, так это чтобы вы принесли мистеру Райли чашечку кофе. Думаю, ему это не помешает. Затем поднимитесь в аппаратную и посмотрите, на месте ли режиссер и звукооператор. Если нет, разыщите их. Передайте им, что я очень сожалею, что наша запись не включена в сегодняшний график, и постараюсь, чтобы впредь подобное не повторялось. Все ясно?

— Да, мэм. — Девушка кивнула и пулей вылетела из комнаты, словно приговоренный к смертной казни, которого помиловали в последний момент.

— Вы, вы и вы, — Брин поочередно указала пальцем на каждого из трех праздно шатающихся в студии мужчин, — разберите задники программы новостей и подготовьте площадку для Райли.

— Но это должна была сделать ночная группа после выхода ночного выпуска. Мы...

Брин сердито взглянула на осмелившегося спорить:

— Делайте, что вам говорят.

Мужчины переглянулись. Тот, что спал, пожал плечами и нехотя поднялся со стула. Парни с «Пентхаусом» отложили журнал и, ворча что-то под нос, нехотя поплелись на площадку.

— Выбросите сигарету, — приказала Брин оператору. — Невозможно нормально снимать, когда во рту или в руке сигарета. И на сегодняшней съемке попрошу не курить. Я ясно выразилась?

Оператор и не думал подчиняться.

— Эй, Райли, разве она имеет право командовать?

— Имею, я только что это сделала. Если вам не нравится со мной работать, поищите себе работу в другом шоу. Только не забывайте о молодых выпускниках колледжа, которые будут счастливы занять ваше место. А вы, — Брин обратилась к девушке, по-прежнему сидевшей на полу, — выбирайте: или я больше не вижу вашей жвачки, или вы покидаете площадку. А пока вы решаете этот вопрос, проверьте, в порядке ли микрофоны для мистера Райли и его гостьи.

Она снова повернулась к Райли, стараясь не замечать гнева, закипающего в сапфировых глазах.

— Кто сегодня гость вашего шоу?

— Памела Ханн.

У Памелы Ханн в самом деле были розовые волосы. Брин усилием воли сдержала улыбку, понимая, что от того, как она разыграет эту подачу, может зависеть исход игры.

— Где она?

Райли вздернул подбородок.

— Растяпа Уит может вас проводить.

Уитни как раз шла через студию, держа в руках, как пакт о перемирии, чашку дымящегося кофе. Споткнувшись о кабель, она чуть не упала, и немного кофе пролилось на пол. Райли тихо выругался, но кофе взял и даже пробурчал «спасибо».

— Мистер Райли, думаю, вам нужно подгримироваться, — миролюбиво предложила Брин, надеясь в душе, что Уитни не расслышала, какими эпитетами он ее наградил. — Когда все будет готово, я за вами зайду. У вас есть какие-нибудь материалы на мисс Ханн?

— Есть кое-что, — буркнул Райли.

— Может, вам стоит пока их изучить?

Попросив Уитни Стоун показать, куда они заточили разгневанную Памелу Ханн, Брин вышла из студии. Памела Ханн была модельером, в последние годы ее популярность резко возросла — в основном благодаря тому, что в ее туалетах появлялись героини популярного телесериала.

Как только Брин открыла дверь в комнату, на которую ей указала Уитни, она нос к носу столкнулась с женщиной, чье лицо почти сравнялось по цвету с растрепанными розовыми волосами. Зато глаза-бусинки под знаменитыми бровями Памелы Ханн были почти бесцветными. Тонкий нос от злости стал еще тоньше.

— Безобразие, вот как это называется! Я требую объяснений! Вы даже представить себе не можете, насколько это было... Меня оскорбили самым возмутительным образом!

Памела Ханн цедила слова сквозь сжатые губы. Заметив, что перед ней человек, с которым она еще не встречалась, женщина надолго замолчала и принялась бесцеремонно разглядывать Брин.

— Кто вы такая? — надменно спросила она наконец. — На вас моя блузка.

Брин мысленно поблагодарила своего ангела-хранителя или кто там еще надоумил ее надеть сегодня именно эту блузку. Когда Райли сообщил имя оскорбленной гостьи, Брин чуть было не расхохоталась: она не сомневалась, что дело в шляпе.

— Меня зовут Брин Кэссиди. Вы правы, мисс Ханн, на мне одна из ваших блузок. Я несколько месяцев копила деньги, чтобы купить изделие с вашим ярлыком, и пользуюсь случаем сказать, что блузка мне очень нравится.

Памела Ханн фыркнула:

— Это классная вещь, она будет отлично смотреться на ком угодно, но вам и вправду очень идет. Вы умеете носить хорошие вещи. Размер шестой? Нет, пожалуй, четвертый. Я придумала ее в момент вдохновения. Рукава колышутся при каждом движении, но если бы я не настояла на их особом покрое, этого бы не получилось.

Несколько секунд модельерша с гордостью рассматривала свое творение, потом снова фыркнула, словно почувствовала неприятный запах.

— Вы так и не сказали, что вы делаете в этом зверинце. Хочу довести до вашего сведения, юная леди, что мне приходилось участвовать во многих шоу: «Доброе утро, Америка», шоу Джонни Карсона, «Шестьдесят минут», шоу Мерва Гриффина. Но нигде, слышите, нигде со мной не обращались так отвратительно. Эти люди — просто отбросы общества, а шоу «Утро с Джоном Райли»...

— Вы абсолютно правы, мисс Ханн, полностью с вами согласна. На вашем месте я бы отказалась участвовать в этом шоу и уехала. С какой стати давать им интервью после того, как они обошлись с вами столь возмутительным образом? Зачем им потакать? Подумать только, с вами, выдающимся американским дизайнером, светилом современной моды, обращались как с обычной гостьей, как... как с какой-нибудь актрисой! Неужели они не понимают, что вы художник?

Делая вид, что высказала все, что думает, Брин подошла ближе и тихо, с почтением спросила:

— Заказать вам такси? Или вы приехали на лимузине?

— Я... гм... я приехала на своей машине. Люблю, знаете ли, иногда сама сесть за руль... только иногда, для разнообразия.

— О да, разумеется, мисс Ханн. Позвольте проводить вас к выходу. Мы и так задержали вас слишком долго, а ваше время поистине бесценно. Это папка с вашими эскизами? Не забудьте. Какая жалость, что из-за некомпетентности этих недоумков зрители лишатся возможности увидеть ваши новые модели. Глупость и некомпетентность на всех уровнях общества — наша главная беда, не правда ли, мисс Ханн? Вероятно, в индустрии моды существует та же проблема.

Она деловито вышагивала рядом с Памелой Ханн, моля бога, чтобы не сбиться с пути и свернуть куда нужно. Брин еще не освоилась с лабиринтом коридоров и могла только гадать, какой из них ведет к выходу из здания. Не хватало еще, чтобы в результате она привела Памелу Ханн в раздевалку для уборщиц. От волнения сердце

Брин ухало, как молот. Даст ли ее блеф желаемый результат?

Она бесстрастно улыбнулась модельеру:

— Правда, что вы устраиваете в Сан-Франциско эксклюзивный показ мод? Кажется, я где-то об этом читала.

— Да, верно. Показ состоится завтра у Ньюмана.

— О, замечательно! Может быть, я сумею прийти, хотя не знаю, удастся ли. Но надеюсь, что кто-нибудь все-таки придет.

Памела Ханн остановилась так резко, что высокие каблучки остроносых европейских туфель едва не заскрипели по полу.

— Почему это они могут не прийти? Вы считаете, мои модели не привлекут зрителей?

— Ну... видите ли, мисс Ханн, у ток-шоу «Утро с Джоном Райли» очень широкая аудитория, даже если его выпускают некомпетентные люди. Но не беспокойтесь, — она дружески похлопала женщину по тонкой руке, — наверняка многие женщины видели рекламу вашего показа где-нибудь еще.

— Но...

— И конечно, я не верю слухам, которые распускали о Рэйчел Ламье, когда она отказалась участвовать в телепередаче одной местной студии.

Брин мягко подтолкнула Памелу Ханн к выходу, но та не двигалась с места.

— Ламье? Говорите, она отказалась участвовать... И какие пошли слухи?

— О, умоляю вас, не спрашивайте, — заговорщически прошептала Брин. — Вы вынуждаете меня выдать тайну.

— Я никому не скажу. — Тонкие ноздри Памелы затрепетали. — Что говорят о Рэйчел Ламье?

Брин оглянулась с таким видом, словно собиралась выдать шпиону государственную тайну.

— Пошли слухи, что модели из ее последней коллекции никуда не годятся и она отказалась демонстрировать их публике, пока не будут распроданы билеты на показ. — Еще раз оглянувшись, Брин поспешила добавить: — Но, как я уже говорила, я не верю, что она намеренно устроила сцену и отказалась появиться на экране. — «Только бы она не догадалась, что вся эта история — от начала до конца выдумка!» Брин снова подтолкнула ее к выходу. — Пойдемте, мы уже отняли у вас слишком много времени. Я еще раз прошу прощения за нашу ошибку и причиненные вам неудобства. Я прослежу, чтобы...

— Минуточку. — Памела Ханн нервно облизнула губы и прищурилась. — Милочка, вам действительно идет эта блузка.

— Благодарю вас.

— Пожалуй, в следующий раз я предложу эту модель в более ярких тонах, к примеру цвета фуксии.

— Правда? О, это замечательно! — подобострастно воскликнула Брин.

— Я не расслышала, как вас зовут, дорогая.

— Брин. Брин Кэссиди.

— Так вот, Брин, вы такая душка, что я, так и быть, соглашусь на это несчастное интервью.

Брин театрально схватилась за сердце, которое в эту минуту готово было выпрыгнуть из груди от радости.

— О, мисс Ханн, у меня просто нет слов! Вы слишком великодушны!

Гостья подняла руку, как папа римский, благословляющий паству.

— Не стоит, дорогая, великодушие — свойство всех настоящих художников.

К тому времени, когда женщины входили в студию, Памела Ханн только что не мурлыкала от удовольствия.

— Уитни, дорогая, будь так любезна, принеси мисс Ханн чашечку кофе. Вам со сливками или черный? С сахаром или без?

— Без сливок и без сахара. Нам, женщинам, нужно заботиться о фигуре.

Мисс Ханн и Брин дружно рассмеялись. Члены съемочной группы остолбенели.

— Мисс Ханн, присядьте, пожалуйста, на диван. Простите, что предлагаю вам сесть на такую дешевку. — Брин повернулась к девице со жвачкой. — Когда будете прикалывать микрофон, попрошу быть поаккуратнее. Блузка мисс Ханн из натурального шелка. — Гостья не видела, что Брин лукаво подмигнула девушке.

У Брин было такое ощущение, словно она работает в новой должности не полчаса, а по меньшей мере лет сто. Однако результат налицо: Памела Ханн с приколотым к блузке микрофоном сидит в студии и жеманно принимает знаки ее восхищения. Нельзя сказать, чтобы Брин получала удовольствие, потрафляя раздутому самолюбию гостьи, но если это необходимо, чтобы записать интервью, — что ж, пусть будет так.

— Как вам удалось ее умаслить? — благоговейно спросила Уитни, когда провожала Брин в гримерную Райли. — Она обзывала меня неотесанной деревенщиной.

— Что ж, по крайней мере она выражалась цензурно. — Уитни посмотрела с недоумением, и Брин продолжила: — Я польстила ее самолюбию.

Во взгляде Уитни появилось нескрываемое восхищение.

— Здорово! Вы молодец.

— Спасибо. Кстати, о самолюбии. Давайте-ка посмотрим, в каком настроении пребывает мистер Райли.

Брин постучала в дверь, но не стала дожидаться ответа и решительно вошла в гримерную.

— На площадке все готово, ждем только вас.

Райли стоял перед зеркалом, держа в руках губку и коробочку с гримом, на груди у него висело полотенце, засунутое одним углом за воротник рубашки. На туалетном столике стояли рядом чашка кофе и блюдечко с водой.

— Вот что, мисс... как вас там?

— Кэссиди.

— Да, Кэссиди, давайте уточним кое-что с самого начала. — Он отвернулся от зеркала и пристально посмотрел на Брин. — Программой руковожу я. Только я, и никто другой. Если сегодня я терпел ваши своевольные выходки, то лишь потому, что попал в цейтнот. Не рассчитывайте, что вам удастся командовать мной так же, как всеми остальными на площадке. Я ясно выразился?

Не сводя с Брин ледяного взгляда, он намочил губку, окунул в баночку с тональным кремом и стал размазывать крем по лицу начиная с кончика носа, чтобы лицо не блестело в свете софитов.

Ни этот взгляд, ни угроза в голосе не смутили Брин. Она спокойно сообщила:

— Мистер Райли, запись передачи начинается через две минуты. Если к этому времени вас не будет в студии, считайте, что я уже подала официальную жалобу управляющему. И, кстати, вы только что макнули губку в кофе.

Прежде чем он успел открыть рот, Брин уже вышла в коридор.

Когда Райли через две минуты влетел в студию, он кипел от гнева. Однако надо отдать ему должное: как только заработали камеры, разъяренный мужчина исчез, уступив место профессиональному ведущему.

Джон Райли включил свое знаменитое обаяние на полную мощность. В голосе Райли звучала та самая доверительность, которая помогла ему завоевать сердца тысяч домохозяек и секретарш. Первые бросали домашние дела и в промежутке между стиркой и отжимом прилипали к экранам телевизоров, как только начиналось ток-шоу «Утро с Джоном Райли». Вторые каждый день собирались группками возле офисных кофеварок и делились последними сплетнями о своем кумире.

Вряд ли он на самом деле жадно вслушивался в каждое слово, произнесенное Памелой Ханн, или проявлял глубочайший интерес к эскизам новых моделей, но он был великим актером.

Как только шоу было отснято на пленку, а Памела Ханн благополучно усажена в машину, Брин созвала производственное совещание для всех, кто имеет отношение к ток-шоу «Утро с Джоном Райли». От первоначальной враждебности сотрудников по отношению к Брин не осталось и следа. Ловкость, с которой она разрешила утренний кризис, снискала ей если не любовь, то по крайней мере уважение съемочной группы. Брин изложила свои требования и предписания, твердо подчеркнув, что рассчитывает на их выполнение.

— Тех, кого мои условия не устраивают, можно заменить, — с улыбкой сказала она, но в голосе прозвучали стальные нотки. — Ток-шоу «Утро с Джоном Райли» занимает второе место в рейтинге телепередач. Я хочу, чтобы в ближайшее время мы вышли на первое место и никому его не уступали. Тот, кто не хочет с нами сотрудничать, может уйти сразу. Я поставила перед собой цель, и ничто не помешает мне ее добиться. — Здесь она покосилась на Райли. — Мистер Райли, я хотела бы поговорить с вами в вашей гримерной.

Оставив за спиной притихшую и несколько подавленную съемочную группу, Брин вышла из студии. Ее каблучки деловито застучали по коридору. К тому времени, когда Райли ее догнал, она уже стояла у двери в гримерную. Он распахнул дверь и с церемонным поклоном пригласил Брин войти первой. Войдя следом, Райли даже не предложил Брин сесть, сам же плюхнулся на диван и ослабил узел галстука. Брин так и осталась стоять посреди комнаты.

Заглянув в блокнот, она сказала деловым тоном:

— Каждое утро после окончания съемок Уитни будет приносить вам досье на гостей следующего дня. Попрошу вас к следующему утру изучить эту информацию. И предупреждаю, что я не собираюсь терпеть ваши истерики. Сегодня это было в первый и последний раз.

— Не собираетесь? Что вы говорите?

— Да, не собираюсь. И прекратите третировать Уитни.

— Растяпу Уит? Ничего, она привыкла.

— По каким-то непостижимым для меня причинам она вас боготворит. Но даже будь она не впечатлительной молоденькой девушкой, а святым Бернардом, я бы все равно не позволила вам разговаривать с ней так, как вы разговаривали сегодня утром.

— Вы бы мне не позволили?

Брин сделала вид, что его последней реплики не было вовсе.

— Скажите, во сколько вы легли вчера спать?

— Что-что?

— Вы прекрасно слышали.

Райли хмуро уставился на нее. Брин видела, как его гримаса медленно разглаживается и сменяется ухмылкой.

— Лег в постель или лег спать?

Брин устало вздохнула.

— Меня совершенно не интересует, что происходит в вашей постели, мистер Райли.

— Неужели? Зачем же вы спросили?

— Вы вынуждаете меня говорить напрямик: вид у вас ужасный. Извините, но вы сами напросились на откровенность.

Райли онемел от такого заявления. Брин с трудом сдержала удовлетворенную улыбку. Очевидно, он не привык к нелицеприятной критике.

— С сегодняшнего дня будьте добры как следует высыпаться перед утренней съемкой. И никаких возлияний накануне вечером, от спиртного к утру опухают глаза.

От ленивого безразличия не осталось и следа. Райли выпрямился на диване.

— Какого черта...

— Если у вас и без спиртного мешки под глазами, могу посоветовать хорошее средство: каждое утро, как встанете, минут на пятнадцать прикладывайте к глазам кусочки льда.

Он погрозил Брин пальцем:

— Сейчас я вам скажу, что вы можете делать со своими кусочками льда.

— Кажется, у меня все. — Брин захлопнула блокнот и направилась к двери.

— Не совсем. — Райли вскочил с дивана и у самой двери поймал Брин, схватив ее за плечи.

— Отпустите меня!

Губы Райли изогнулись в кривой ухмылке:

— «Отпустите меня»? А где же «вы, хам»?

— Мистер Райли, отпустите меня, или я...

Райли расхохотался. Он хохотал долго и от души. Взгляд прошелся по телу Брин от макушки до ступней и обратно, и в его глазах заплясали искорки. Джон Райли в первый раз по-настоящему посмотрел на своего нового продюсера. И что же он увидел? Хорошенькое личико в обрамлении кудрявых темных волос. Темные брови, красиво изогнутые над глазами цвета аквамарина, в данный момент полыхающими гневом. Аккуратный вздернутый носик. Рот, словно созданный для поцелуев. Особенно хороша чуть более пухлая нижняя губка, которую он бы с удовольствием захватил зубами. Но, пожалуй, больше всего Райли заинтересовала продолговатая ямочка на подбородке, придающая лицу чертовски дерзкое выражение. Брин Кэссиди была прелестна, сексапильна и горяча, и не будь у Райли железного правила не смешивать дело с удовольствием, он бы тут же, не сходя с этого места, выяснил, насколько жарок огонь, пылающий в ней.

Он перестал смеяться.

— А вы, оказывается, штучка с секретом, а, мисс Кэссиди? — Голос прозвучал хрипловато. — Снаружи такая холодная, строгая, а внутри — чистый динамит. Мне становится все интереснее.

Брин стряхнула с себя его руки и открыла дверь. Она не питала иллюзий и понимала, что ей удалось освободиться только потому, что Райли сам решил ее отпустить.

— До свидания, мистер Райли, увидимся утром.

— Непременно, мисс Кэссиди, ни за что на свете не пропущу нашу следующую встречу.

Звук его смеха, эхом прокатившийся по коридору, преследовал Брин до самого выхода. Она едва не бросилась бежать от этого смеха, от этого мужчины. Брин сразу поняла: после того как Джон Райли задел ее за живое — эмоционально и физически, — ей уже никогда не стать прежней.

Глава 3

— Брин, вернись на землю!

— Что? Ой, простите, я размечталась.

— Ну ты даешь. Как можно мечтать на вечеринке? Кое-кто собирается покинуть нас, но, наверное, нехорошо расходиться, пока мы не спели «С днем рождения, босс!».

— Да, конечно, — пробормотала Брин, пытаясь собраться с мыслями и вернуться к действительности. — Пойду узнаю, готов ли торт.

По дороге на кухню Брин искоса взглянула на Райли. Он по-прежнему стоял за стойкой бара, раздавая гостям напитки и улыбки, но взгляд его неотступно следил за Брин, пересекавшей комнату. Огонь, горевший в его глазах, навел

Брин на подозрение, что Райли точно знает, о чем она думала.

На кухне Стюарт уже украшал свечами праздничный торт.

— По-моему, пора поздравлять именинника, — сказала Брин.

— Я тоже так думаю.

Тон Стюарта намекал, что не просто пора, но давно пора. Когда все свечи были зажжены, Стюарт открыл дверь, и Брин выкатила из кухни тележку с сияющим огнями тортом. Все повернулись и дружно зааплодировали. Под громкий хор, поющий «С днем рождения, босс!», Эйбела Уинна вытолкнули на середину. Виновник торжества подошел к торту, чтобы задуть свечи, и ему удалось сделать это с первой попытки.

Затем все обступили именинника. Эйбел принимал поздравления и добродушно посмеивался над шутками по поводу его возраста. Затем он поднял обе руки, призывая к молчанию, и произнес короткую речь:

— Благодарю вас за то, что вы пришли поздравить меня с днем рождения. Тем из вас, у кого завтра рабочий день, хочу сказать... — Он сделал небольшую паузу и добавил, вызвав взрыв смеха: — Вы рисковые ребята. Не ждите никаких скидок на похмелье. За сегодняшние излишества можете винить Брин. Она необыкновенная хозяйка, другой такой не найти. — Эйбел повернулся к Брин и поцеловал ее в щеку.

Смущенная, Брин попросила Стюарта нарезать и раздать торт. Первый кусок вручили имениннику. Когда все гости устремились за тортом и столпились вокруг тележки, Эйбел увлек Брин в сторону и потянул за собой в дальний конец комнаты, где им было обеспечено относительное уединение. Там он поставил тарелку с тортом на столик и серьезно произнес:

— Я говорил серьезно. Сегодняшний день для меня — особенный.

— Я рада.

— А все благодаря вам, Брин.

Брин почувствовала на себе угрюмый взгляд Райли, брошенный из другого конца комнаты. Она ослепительно улыбнулась Эйбелу:

— Спасибо, рада сделать вам приятное.

— Я знаю, что сейчас не время говорить о делах, но...

Брин поспешно перебила его:

— Эйбел, сейчас действительно не время.

Краем глаза она заметила, что Райли вышел из-за стойки бара и направляется к ним.

— Позвольте мне закончить. Еще до того, как вы примете окончательное решение, я хочу коечто добавить к своему предложению. Что вы думаете о жалованье сорок тысяч долларов в год?

— Фантастика. Не слишком ли вы расточительны?

Поздно. Райли уже стоял за спиной Эйбела, точнее, навис над ним, как коршун над добычей. Брин могла только удивляться, как Эйбел не чувствовал на шее его горячее дыхание.

Эйбел усмехнулся:

— Может быть. Но чтобы заполучить вас на эту работу, я готов платить и такие деньги.

— Вы очень щедры, предложение действительно заманчивое, но я еще не решила.

Почему Райли не уходит? Неужели он настолько невоспитан, что станет подслушивать? Зачем он вообще явился к ней в дом, да еще именно сегодня, когда ей предстоит принять решение, от которого зависит ее будущее? Не хватало еще, чтобы ее отвлекали мысли о Райли.

— Через год вы получите прибавку к жалованью и начнете получать процент от прибыли. Разумеется, компания будет покрывать все транспортные расходы.

— Я не жажду переезжать в Лос-Анджелес.

Уинн слегка нахмурился, задумавшись.

— Я хочу, чтобы вы были всем довольны. У нашей компании есть несколько домов и здесь, в Сан-Франциско. Вы можете снять любой из них без арендной платы, оплачивая только коммунальные услуги. Кстати, может, вам понравится, что один из домов расположен неподалеку от пляжа.

— Эйбел, я не могу позволить, чтобы вы платили за мое жилье! И прошу вас, давайте сегодня больше не будем говорить о делах.

— Но мне нужен ваш ответ до завтра, и я пытаюсь повлиять на ваше решение в свою пользу. Если хотите, этот вечер — мой последний шанс.

— Если я откажусь от этой работы, то не потому, что ваше предложение недостаточно заманчиво.

— Ладно. — Эйбел выглядел разочарованным. — Я вижу, вам неприятны разговоры о деньгах.

Что Брин действительно было неприятно, так это злобная маска, застывшая на лице Райли. По-видимому, Эйбел заметил, что она встревоженно смотрит куда-то поверх его плеча, и обернулся.

— А, мистер Райли. Я пытаюсь уговорить Брин сменить работу. По-моему, вы допустили большую ошибку, когда отпустили ее.

Глядя прямо в хмурое, озлобленное лицо Райли, Эйбел любезно улыбнулся, но глаза его не улыбались. Атмосфера была накалена до предела. Своей взаимной враждебностью мужчины напомнили Брин двух диких зверей, готовых сразиться за самку. Наконец Эйбел сказал:

— Брин, кое-кто собрался уходить, несколько человек ждут у дверей и хотят попрощаться. Вам не кажется, что мы должны подойти к ним?

Не дожидаясь ее ответа, он взял Брин под локоть и повел к двери. Брин ничего не оставалось, как повиноваться. К тому же, когда гости начинают расходиться, ей как хозяйке в любом случае полагается стоять у дверей.

И все-таки ее не покидало неприятное чувство: Райли остался в одиночестве, такой мрачный, такой рассерженный. Брин была недовольна собой: откуда эта глупая сентиментальность? Какое ей дело до того, что думает Райли? Она ушла от него семь месяцев назад, и с тех пор он ни разу не попытался с ней связаться. Кажется, до сегодняшнего вечера их разрыв не волновал его вовсе.

Ему больше нет места ни в ее жизни, ни в ее сердце, и она должна позаботиться, чтобы так было и впредь.

Через полчаса Эйбел тоже собрался уходить.

— Вы подумаете над моим сегодняшним предложением? — спросил он, прощаясь.

— Обещаю.

— И завтра дадите мне ответ?

— Обязательно.

Гости разошлись, и остался только Стюарт со своей командой. Брин и Эйбел стояли у дверей одни. Он взял ее руку двумя руками.

— Я знаю, что ваш ответ будет таким, какой мне нужен, — сказал он с уверенностью человека, привыкшего все делать по-своему. — Спокойной ночи, Брин. Все было великолепно.

Он снова поцеловал ее в щеку, и у Брин возникло неприятное ощущение, что при малейшем поощрении с ее стороны он бы не ограничился этим дружеским поцелуем.

Упаси бог! Однажды она уже ступила на этот путь. Смешивать профессиональные отношения с личными — губительно для нервов, не говоря уже о сердце и чувствах. С нее довольно, больше она не повторит эту ошибку. Однажды она уже жила с мужчиной, обладающим гипертрофированным самолюбием. Как бы Эйбел Уинн ей ни нравился, как бы Брин ни уважала его профессионализм и деловую хватку, ей не составило труда распознать в нем самолюбие, из-за которого мужчина не способен поделиться славой ни с кем, тем более с женщиной. Такое же самолюбие, как у... Райли? Брин быстро окинула взглядом комнату. Никого. Куда подевался Райли?

Попрощавшись с Эйбелом, Брин заперла парадный вход и пошла на кухню. Стюарт заканчивал собирать свои поварские принадлежности. Дверь черного хода была открыта, и Стив с Бартом загружали стоящий у дома пикап.

— Ты не видел...

— Красавчика? — договорил за нее Стюарт. — Нет, и мы трое страшно горюем по этому поводу. Наверное, он улизнул, не попрощавшись. Барт просто сходит с ума.

— Заткнись! — рявкнул Барт, поднимая на плечо ящик с тарелками.

Их перепалка ничуть не улучшила настроения Брин. У нее разболелась голова, и ей хотелось только одного: чтобы ее наконец-то оставили в покое и в тишине. Подписав чек за услуги Стюарта, она сказала себе, что вовсе не разочарована незаметным исчезновением Райли. Внезапно появился и так же внезапно скрылся. Тем лучше.

— Ты забыла вычесть плату за услуги бармена, — заметил Стюарт, взглянув на сумму.

— Считай, что это чаевые.

— Ты просто прелесть, куколка! Надеюсь, мы еще поработаем вместе. — Пожав на прощание ее руку, Стюарт удалился и закрыл за собой дверь. Брин заперла ее на ключ и остановилась посреди кухни. В доме царил полнейший кавардак. Уборка кухни и мытье посуды не входили в обязанности Стюарта, и сейчас ни одна вещь не лежала там, где ей полагалось.

Брин вздохнула. Наводить порядок не хотелось, но она знала, что не сможет уснуть, если отложит уборку до утра. Но прежде всего нужно было переодеться. Она устало поплелась вверх по лестнице.

Открыв дверь в спальню, Брин застыла на пороге. На ее кровати полулежа развалился Райли. Привалившись к изголовью, он лениво перелистывал последний номер «Бродкастинг»[1].

— Все разошлись?

— Что ты здесь делаешь?

— Отдыхаю. Ты хоть заметила, что я провел на ногах без малого четыре часа?

— Не притворяйся, будто не понял! — сердито закричала Брин. — Я имею в виду, что ты делаешь здесь, в моей спальне? В моей постели! Я думала, ты давно ушел домой.

— Домой? — переспросил Райли, отбросив журнал. — Нет у меня дома. У меня есть жилище, которое когда-то было домом... в те времена, когда я жил там со своей женой.

Брин повернулась к нему спиной, сбросила туфли и остановилась перед зеркалом, запустив руки в волосы.

— Я устала.

— Ты и выглядишь усталой. Иди сюда, приляг. — Он похлопал по покрывалу рядом с собой. Глядя на него в зеркало, Брин почувствовала себя Евой, которой змей-искуситель предла-

---

[1] Журнал о радио и телевидении. — *Примеч. пер.*

гает яблоко. Искушение было столь же сильным. И не менее опасным.

— Ни за что.

Райли расхохотался.

— Почему? Уж не потому ли, что ты вспомнила, как здорово мы, бывало, развлекались, когда приходили домой с какой-нибудь вечеринки?

Вот именно. Если она сделает несколько шагов и ляжет рядом с ним, они обязательно займутся любовью, и она окажется в том же тупике, где уже побывала. Выбираться из него снова... нет, она этого не выдержит. Хватит и первой попытки, которая ее едва не убила.

— Я этого не помню.

— Помнишь, помнишь. Потому ты и боишься лечь рядом со мной. Сам удивляюсь, почему так приятно заниматься любовью после вечеринки. Может, потому, что обычно возвращаешься домой в хорошем настроении? Помню, именно после вечеринок нам бывало особенно хорошо в постели, то были наши лучшие ночи.

— Я уже говорила, что не собираюсь обсуждать сегодня наше прошлое. Неужели ты не можешь оставить меня в покое?

— Скажи, а тот черный кружевной пояс, который ты раньше надевала под вечерние туалеты... ты по-прежнему его носишь?

Брин резко повернулась. На миг у нее мелькнула фантастическая мысль, что Райли способен видеть сквозь одежду.

— Нет.

Он сверкнул зубами в понимающей улыбке.

— Лгунишка. Он и сейчас на тебе.

— Нет!

— Докажи.

— И не подумаю.

Он снова засмеялся. Брин поспешно ретировалась в ванную. Еще немного, и он бы увидел, как она улыбается в ответ.

— Что ты делаешь? — крикнул ей вслед Райли.

— Переодеваюсь.

— Но это же глупо, ты не находишь?

— Что именно? Переодеваться?

— Нет, прятаться от меня в ванной. Вспомни, я ведь уже видел тебя без одежды. На твоей великолепной коже не осталось ни единого местечка, которое я не мог бы описать во всех деталях.

Брин расстегнула «молнию», сняла платье и улыбнулась, взглянув на черный кружевной пояс для чулок. Эта кокетливая деталь ее туалета здорово заводила Райли, хотя он никогда не нуждался в дополнительных возбудителях. Воспоминания, пробужденные его словами, вогнали Брин в краску.

— Готов поспорить, на тебе сейчас черные кружевные трусики, подходящие к поясу.

Брин быстро стянула с себя и их.

— Нет.

— Так и представляю, как ты стоишь там в черных чулках.

Брин отстегнула подвязки и быстро сняла чулки. Ругая себя за эту ребяческую игру с Райли, она сняла все и осталась обнаженной. Затем торопливо надела другое белье, натянула старенькие джинсы и свитер. Сунув ноги в мокасины, она вернулась в спальню.

— Очаровательно, — скучающе протянул Райли.

— Если тебе не нравится мой костюм, можешь уйти.

Брин направилась к двери. Когда она проходила мимо кровати, он вдруг совершил бросок и поймал ее сзади за пояс джинсов. Брин взвизгнула, но, не успев вырваться, тут же оказалась брошенной поперек кровати. Она не поняла, как это произошло, но через мгновение Райли уже лежал на ней, не давая пошевелиться, и победно усмехался.

— Дай мне встать.

— Ага, сейчас, разбежался. Мне знаком этот блеск в глазах. Когда он появляется, это значит, что пора с тебя малость сбить спесь. Я ведь знаю: дай тебе палец, и ты отхватишь всю руку. — Он потерся носом о ее ухо. — Только я хочу дать тебе кое-что побольше, чем палец.

— Фи, как вульгарно!

— Точно. И когда-то тебе это очень нравилось. Чем более пикантные словечки я произносил, тем больше тебе нравилось.

— Я... ой, не надо! — Он принялся щекотать пальцами ее ребра. Брин всегда ужасно боялась щекотки. — Райли, я серьезно, прекрати сейчас же!

— Скажи волшебное слово.

— Пожалуйста, — задыхаясь, прохрипела она. — Пожалуйста.

Щекотка прекратилась, но Райли просунул руки под свитер и стал поглаживать ее живот.

— Спорим, на тебе те самые трусики.

— Спорим, что нет.

— На что спорим?

— А на что хочешь.

— Спорим на поцелуй.

Брин была уверена в победе.

— По рукам.

Голубые глаза впились взглядом в ее глаза. Брин замерла. Райли щелкнул кнопкой на ее джинсах и расстегнул «молнию». Сдвинув джинсы с бедер, он опустил взгляд.

Кружевных черных трусиков он, естественно, не обнаружил, но зато увидел другие, из бледно-голубого шелка, не менее соблазнительные. Райли захлестнула волна желания, и он невольно закрыл глаза, но сразу же открыл их снова и положил руку на нежную кожу ее живота.

— Я выиграла, — тихо прошептала Брин, вдруг смиряясь под его жарким взглядом, полным неприкрытого вожделения.

— Сдаюсь.

Его рука скользнула по шелку трусиков, потом нырнула внутрь, к шелку кожи. Издав низкий грудной звук, Райли склонил голову и принялся целовать ее пупок — бесстыдно, жарко, смакуя солоноватый вкус кожи.

Брин словно перенеслась в прошлое. Сколько страстных сцен, подобных этой, у них было... Вот уже по ее телу разливается знакомая волна желания, она еще не успела подумать, что делает, а ее руки уже запутались в его густых волосах, чуть посеребренных сединой, сжимаясь и разжимаясь в такт нежному, но настойчивому движению его языка.

Тело ее полностью капитулировало, но мозг все еще отчаянно цеплялся за остатки здравого смысла.

— Нет, Райли...

— Да, да.

— Нет!

Райли добрался до местечка на теле Брин, которое знал как самое чувствительное, и в ее стоне недовольство мешалось с нарастающим возбуждением.

— Нет!

Райли приподнялся и переместился так, чтобы оказаться лицом к лицу с ней. Брин почувствовала на щеке тепло его учащенного дыхания.

— Но почему? Ты же меня хочешь.

— Нет!

— Хочешь, хочешь. И ты моя жена.

— Бывшая.

— Это не подтверждено никакими документами.

— Может, официально мы по-прежнему женаты, но...

— Ладно, ты от меня ушла. Я тебя отпустил. Я дал тебе время, пространство, свободу. Скажи, Брин, долго еще продлится эта игра?

— Это не игра!

— Ты не позволишь мне заняться с тобой любовью?

— Нет.

Райли скатился с нее и лег на спину, закрыв лицо руками. Его грудь вздымалась, как кузнечные мехи, он был все еще возбужден, и, чтобы убедиться в этом, Брин достаточно было одного быстрого взгляда на его узкие джинсы. Она поспешно отвела глаза, боясь, что даже сейчас может сдаться и позволить ему то, чего и сама хотела больше всего на свете. Снова почувствовать его внутри себя — и к черту гордость. Она хотела Райли.

Но он отнял руки от лица и сел, спустив ноги с кровати.

— Да, пожалуй, это не игра. Несколько часов, одна ночь, несколько дней — еще куда ни шло, это еще можно расценить как игру. Но семь месяцев? Не знаю, почему ты меня бросила, но, видно, у тебя были веские причины.

— Да, очень, — подтвердила Брин.

Она села и застегнула джинсы, настороженно поглядывая на Райли. Он нежно и печально улыбнулся. Потом погладил Брин по щеке.

— Давай пойдем наводить порядок. — Райли встал, взял ее за руку и повлек за собой в коридор и на лестницу.

— Райли, мне не нужна помощь, я хочу только одного — чтобы ты ушел.

— Не сейчас.

— Прошу тебя.

Находиться рядом с ним опасно. Несколько таких сцен, как та, что пять минут назад разыгралась в спальне, и ее холодная решимость растает. Потому-то Брин и постаралась, чтобы их разрыв был быстрым и окончательным.

— Хочешь, чтобы я ушел? Может, ты ждешь, что Уинн вернется?

Брин резко высвободила свою руку.

— Он не вернется. Я же говорила, что между нами нет ничего личного.

— Я видел, как вы целовались-миловались.

— Мы не миловались!

— Да? Я своими глазами видел, как он тебя целовал минимум раз пять.

— Ради бога, Райли, он всего лишь несколько раз чмокнул меня в щеку. Разве это поцелуи? Это знак признательности, и только.

— Ну хорошо, согласен. — Райли опорожнил хрустальную пепельницу в пластиковый мешок для мусора, который прихватил из кухни. — Но мне все равно не нравится, когда другие мужчины целуют мою жену, как бы они ни были ей признательны.

— Смешно слышать это от тебя.

— Как прикажешь понимать твои слова?

Пока Брин собирала со столов использованные бумажные салфетки и картонные подставки для стаканов и выбрасывала их в мешок для мусора, Райли составлял на поднос грязные стаканы.

— А понимай вот так: ты-то на своем веку перецеловал немало чужих жен. Не припомню ни единого случая, чтобы мы с тобой появились в общественном месте и какая-нибудь женщина не бросилась бы тебе на шею. И ты всегда целовал их в ответ.

— Это одна из издержек моей работы.

— По-моему, ты был не против.

— Минуточку! — Райли щелкнул пальцами, словно его только что осенило. — Не в этом ли все дело? — Он уставился на Брин с искренним недоумением.

— Ты о чем?

— О нашем разрыве. Ты увидела, как какая-то девушка меня поцеловала, и это подтолкнуло тебя уйти? Из-за этого ты меня бросила?

— Райли, не говори глупостей. — Брин даже рассердилась, что Райли мог принять ее за мелочную ограниченную особу. — Будь это так, наш брак не продлился бы пятнадцать месяцев, я бы ушла гораздо раньше.

Брин не хотелось развивать эту тему, поэтому, когда они вернулись с грузом мусора и грязной посуды на кухню, она спросила:

— Ты не голоден? Вряд ли у тебя было время поесть.

— Я малость перекусил, но не отказался бы от чего-нибудь посущественнее. — Райли открыл холодильник и стал изучать его содержимое. — Кстати, ты так и не поблагодарила меня за то, что я сегодня спас твою шкуру.

Брин, завязывавшая в это время пластиковый мешок с мусором, прервала свое занятие.

— Спасибо, Райли, — сказала она от чистого сердца.

Он покосился на нее через плечо и подмигнул.

— Вот, значит, как ты выражаешь свою признательность. — Достав из холодильника горчицу и ветчину, он вернулся к столу. — Я рад был тебе помочь. Кстати, мне понравилось быть барменом. Только я бы предпочел, чтобы вечеринка была не в честь Эйбела Уинна. И еще одно. — Он щедро намазал ломоть ржаного хлеба горчицей и положил сверху кусок ветчины. — Мне не понравилось, как Уинн сказал, что я позволил тебе уйти. Что это он толковал насчет бесплатной аренды квартиры и компенсации затрат на переезд? Какую конкретно работу он тебе предлагает?

— Очень хорошую работу, — честно призналась Брин. — Хочешь креветку? — Она подцепила одну креветку и отправила себе в рот.

Но Райли не дал ей сменить тему.

— Так что это за работа, Брин?

Не глядя ему в глаза, Брин тихо сказала:

— Он предложил мне должность продюсера «Первой страницы».

Райли положил бутерброд на тарелку, так и не откусив ни кусочка, молча встал и подошел к окну. Перед ним на фоне ночного неба сиял огнями силуэт одного из красивейших городов мира, но сегодня Райли его не видел. Засунув руки в задние карманы джинсов, он тихонько присвистнул:

— Ничего себе работенка. И впрямь очень хорошая.

— Я еще не дала согласия, — поспешно сказала Брин.

Она испытала странную, неожиданно острую потребность защитить его. Брин и сама не знала почему, она только чувствовала, что это известие может больно ранить его самолюбие.

Райли повернулся и посмотрел ей в глаза:

— Почему?

— Я еще думаю.

— О чем тут думать? О «Первой странице» писали во всех газетах. Говорят, передача обещает стать самой популярной на телевидении со времен шоу «Сегодня вечером».

— До этого еще далеко, пока она даже не запущена в производство. Реально существуют только замыслы, да и те не вполне ясны. Не подобран коллектив, даже не проведены маркетинговые исследования. — Говоря все это Райли, Брин хотела намекнуть, что не исключена возможность, что его еще пригласят в новое шоу в качестве ведущего. — По планам Эйбела, первый выпуск передачи выйдет в эфир не раньше следующего года. Да и тогда никто не может дать гарантии, что станции ее купят.

— Купят, не волнуйся. Как-никак за «Первой страницей» стоят большие баксы Уинна. Купят, оторвут с руками и проглотят как попкорн. —

Он пристально посмотрел на Брин. — И он, значит, хочет сделать тебя продюсером.

— Одним из многих. Исполнительным продюсером назначен один знаменитый голливудский режиссер.

— Все-таки я не понял, о чем тут можно раздумывать?

— Мне нравится моя нынешняя работа, — уклончиво ответила Брин.

Райли, похоже, не поверил.

— В какой-то захудалой радиопередаче?

— Я не считаю ее захудалой.

— С твоими способностями там делать нечего, с этой работой мог бы справиться любой выпускник колледжа. Ты сама знаешь, что способна на гораздо большее. Кроме того, твое место — на телевидении. Зачем ты водишь Уинна за нос? Хочешь вытянуть из него побольше?

— Нет.

— Тогда я тебя не понимаю.

Брин облизнула губы.

— Мне придется переезжать в Лос-Анджелес. Ты же знаешь, я люблю Сан-Франциско.

— И, уехав, ты расстанешься не только с городом.

Брин теребила в руках кухонное полотенце.

— Да, здесь останутся мои родители.

— И я. — Райли встрепенулся, поднял голову, и их глаза встретились. — Ты собиралась удрать из города, не сообщив мне?

— Нет, я собиралась... — Брин нервно сглотнула. — Я собиралась подать на развод.

Повисшая после ее слов тишина казалась оглушительной. Когда Райли наконец заговорил, его слова звенели как льдинки:

— Так вот почему ты не подавала на развод раньше? Потому что до сих пор не подвернулось достаточно привлекательной работы?

Его обвинение причинило ей боль, но Брин не могла не признать его справедливым. Наверное, с точки зрения Райли все так и выглядит. Брин не винила его за поспешное заключение. Если бы Райли знал, что главным препятствием, мешавшим ей с ходу принять предложение Уинна, был он, Райли! Брин не хватало духу решиться на последний шаг, означающий полный и окончательный разрыв с ним.

Последние семь месяцев она жила без него, но формально оставалась его женой. Они все еще жили в одном городе, носили одну фамилию. Принять предложение Уинна означало бы переехать в Лос-Анджелес и окончательно обрубить все связи с Райли. Это вынудило бы ее покончить с неопределенностью и развестись.

— Клянусь тебе, одно с другим никак не связано.

Райли медленно придвинулся к Брин и всмотрелся в ее лицо, ища ответ на все еще мучивший его вопрос:

— Брин, почему ты от меня ушла? И если уж жить со мной и быть моей женой оказалось так невыносимо, то почему ты сразу не подала на развод, не освободилась от меня окончательно?

Он запрокинул ее голову, обхватил лицо ладонями и подушечками больших пальцев стер с ее щек слезы.

— Почему, Брин?

— Не знаю, — почти простонала Брин. — Без всякой причины. По тысяче причин. У меня в голове все перемешалось.

Райли прижался губами к ее лбу, привлек Брин к себе и закрыл глаза. Было и сладко, и невероятно мучительно держать ее в объятиях, но не обладать ею.

— Ты не просила развода, потому что ты его не хочешь. Ты не больше стремишься избавиться от меня, чем я — от тебя. И, полагаю, работа у Уинна тебя тоже не интересует, иначе ты бы ухватилась за нее двумя руками.

— Считаешь, я бы не справилась?

Он отступил на шаг и улыбнулся:

— Уверен, что справилась бы. Думаешь, я забыл, что ты сделала для «Утра с Джоном Райли»?

Через три месяца после того, как Брин начала работать на телестудии, поступили результаты очередного рейтинга. Ток-шоу «Утро с Джоном Райли» не вышло на первое место, но стремительно набирало очки. По этому случаю Брин разрешила съемочной группе устроить внеочередной перерыв на кофе и только потом созвала производственное совещание. Может, временами она была слишком требовательной и даже жесткой, но ей удалось пробудить в подчиненных интерес к работе. Вероятно, такая твердость характера передалась Брин от отца, военного моряка. Его последним назначением был Сан-Франциско. Этот красивый город так полюбился всему семейству Кэссиди, что, когда адмирал вышел в отставку, они решили здесь поселиться. Брин, детство которой прошло в переездах по всему миру, наконец-то представилась возможность проучиться три последних года в одной школе.

За исключением того, что Брин представляет собой сгусток энергии и придирается к любой мелочи, пока работа не будет доведена до совершенства, коллеги мало что о ней знали. Казалось, запас новых идей у нее никогда не иссякнет. Так, однажды съемочная группа завороженно, но с некоторым недоверием выслушала ее предложение проводить некоторые выпуски в прямом эфире и не ограничивать передачу рамками студии, а вести съемки на натуре.

— ...в присутствии зрителей, — закончила Брин и стала ждать реакции коллег.

Ее предложение не вызвало восторга.

— В прямом эфире?

— В присутствии зрителей?

— А почему нет? — с вызовом спросила Брин, разочарованная столь явным отсутствием энтузиазма.

— Мы еще никогда такого не делали.

— Да уж, причина веская, — сухо заметила она. — Попробовали бы вы ответить так Филу Донахью.

— Ладно, предположим, ваше предложение принято, но как насчет денег? Вывезти оборудование для натурных съемок недешево, не говоря уже о том, что инженерам и техникам придется отдельно платить за его монтаж.

— Эту часть предоставьте мне, — уверенно заявила Брин. — Если я утрясу детали с руководством, саму идею вы поддерживаете? — Все закивали. Энтузиазм Брин оказался заразительным. — А вы как думаете, Райли?

Первые несколько недель совместной работы с Райли Брин приходилось несладко. Райли взирал на нее исподлобья. Брин смотрела сквозь него. Он ворчал. Она притворялась, что не слышит. Он орал. Она орала в ответ. Иногда они спорили до хрипоты, но в конце концов Райли начал считаться с ее мнением. Может, Брин и походила на куколку, но была далеко не глупа, и он это понял.

«Если вам удалось заставить эту стерву с розовыми волосами есть из ваших рук, то вы сможете справиться со всем», — сказал он как-то.

Месяц спустя они вели пятую, и последнюю, на неделе передачу в прямом эфире из нового торгового центра. Каждый из пяти дней они собирали на съемках аудиторию в несколько сотен человек. На студии буквально все, от последнего мальчика на побегушках до главного администратора, были в восторге от успеха новой затеи Брин.

Это была жуткая неделя. Телезрителям, как показали их письма и звонки, смена места действия пришлась по вкусу. Весь отдел продаж потирал руки, потому что спонсоры обрывали телефоны, спеша купить рекламное время в ток-шоу «Утро с Джоном Райли».

Брин и Райли работали в тесном контакте. Круг ее обязанностей расширился. Брин была уже не просто продюсером, она стала консультантом по костюмам, гримером, сценаристом — словом, правой рукой Райли.

— Брин?

— Что?

Она сосредоточенно занималась микрофоном, стараясь приколоть его к галстуку Райли так, чтобы не было заметно. До выхода в эфир оставались считаные минуты, и все остальные уже освободили съемочную площадку. Место Брин было на высоком табурете за камерой, но она спрыгнула с него и выбежала на площадку, чтобы поправить микрофон Райли.

— Если вас застукает за этим занятием профсоюзный босс, вашей заднице не поздоровится, — с усмешкой заметил Райли.

— Будем надеяться, что меня никто не застукает.

— Да уж, страшно подумать, что с такой аппетитной задницей может что-то случиться.

Брин восприняла грубоватый комплимент спокойно, коллеги частенько отпускали такого рода замечания, и Брин понимала, что, в сущности, они ничего не значат.

— Еще секундочку, и я уйду.

— Не спешите. Мне нравится чувствовать ваши пальчики на моей груди.

Это уже не было незначащим комплиментом. Брин не пропустила бы его мимо ушей даже под угрозой смертной казни. Ее глаза метнулись к его глазам, и Брин с тревогой отметила, что лицо Райли, оказывается, находится совсем близко от ее лица. И он прав, ее пальцы действительно касались волос на его груди: чтобы получше замаскировать провод микрофона, она просунула руку под рубашку. Брин нервно облизнула губы. Взгляд Райли переместился к ее рту.

— Ну вот, готово, — хрипло проговорила Брин, поспешно отдергивая руку.

— Ленч?

— Не поняла?

— Что вы думаете насчет совместного ленча после передачи?

— Я... нет, спасибо.

— Тогда пообедаем вместе?

Райли усмехнулся. Улыбка была победной и одновременно мальчишеской. В первом ряду зрителей кто-то вздохнул — несомненно, женщина. От его улыбки у Брин ослабели колени, ее словно затопила пьянящая волна, ощущение было восхитительным... но опасным.

— Определенно нет.

— Тогда, может, позавтракаем?

— Никогда не выходила из дома на завтрак.

— Я тоже, — произнес он с мягким нажимом, от которого внутри у Брин словно взорвалась цепочка крошечных фейерверков. Их глаза встретились, и у нее не осталось никаких сомнений относительно того, что именно подразумевало приглашение на завтрак.

— Эй, Брин, детка, — крикнул главный оператор, — нам тут открывается классный вид на твою задницу, но, если не хочешь, чтобы она пошла в эфир вместо заставки, лучше убери ее с площадки. Даю тебе тридцать секунд.

Брин повернулась и бросилась бежать. В буквальном смысле. И не только для того, чтобы вовремя исчезнуть с площадки, но и потому, что стремилась как можно быстрее освободиться от власти завораживающих глаз Райли, от его мягкого, такого убедительного голоса, от его соблазнительных намеков и от собственной опасной восприимчивости ко всему этому.

В последние несколько недель Брин стало казаться, что она и Джон Райли пришли к взаимопониманию, между ними установились хорошие деловые отношения, даже нечто вроде вынужденной дружбы. И, что греха таить, порой, когда Брин точно знала, что ни Райли, ни съемочная группа за ней не наблюдают, она тайком смотрела на него так, как смотрело большинство женщин, и видела перед собой привлекательного, сексапильного мужчину. Какая бы женщина на ее месте не заметила этого? Не заметила и не восхитилась?

Но то, что произошло сейчас, не вписывалось ни в какие рамки. Брин понимала, что должна избегать подобных сцен любой ценой. И все-таки, вопреки здравому смыслу, она втайне надеялась, что Райли найдет ее после передачи и продолжит разговор на запрещенную тему. Конечно, она никогда бы не согласилась пойти с ним на свидание, но разве не приятно, когда тебя уговаривают?

Однако как только выключили камеры, Райли окружила толпа восхищенных поклонниц, каждая из которых жаждала получить автограф. Одна самая агрессивная дамочка почти повисла у него на шее, пытаясь поцеловать в губы. Райли только рассмеялся на это.

— Брин, — окликнула Уитни Стоун.

У Брин по какой-то необъяснимой причине испортилось настроение.

— Что? — не слишком приветливо ответила она. Только когда Уитни испуганно попятилась, Брин сообразила, что сжимает кулаки. — Прости, Уитни. В чем дело?

— Меня прислали передать, что, как только все освободятся, мы идем в ресторан. Папа угощает всю съемочную группу за счет телестудии.

Уитни назвала ресторан, и Брин кивнула. Но она никуда не пошла. Если бы ее спросили почему, она бы ответила, что у нее полным-полно работы, стол завален бумагами, нужно сделать несколько звонков и ответить на скопившиеся письма. Но в действительности она осталась в студии потому, что внутри у нее все бурлило и кипело от злости и она не могла объяснить, из-за чего. Или, может быть, наоборот, могла, и как раз объяснение злило ее больше всего.

Брин не желала признавать, что ревновала Райли к каждой из женщин, которые так по-дурацки восхищались им. «Уж я-то никогда не пополню ряды его восторженных поклонниц, не дождется», — думала она.

Когда Райли вломился в ее кабинет, даже не постучавшись, настроение Брин ничуть не улучшилось. Он влетел и захлопнул за собой дверь.

— Куда вы подевались?

Брин вскочила со стула как ужаленная и воинственно уставилась на него. Они встали друг перед другом, как бойцы на ринге.

— Если я нужна вам по делу, буду признательна, если вы...

— Куда вы пропали, черт побери? Разве Уитни не передала, что мы идем в ресторан?

— Уитни передала. Я решила не идти.

Она в сердцах захлопнула ни в чем не повинный ящик стола, при этом сломала ноготь и выругалась.

— Почему?

— Мне не хотелось.

— Но *мне* хотелось, чтобы вы пошли.

— Сомневаюсь, что вы заметили мое отсутствие. Наверняка там вас тоже окружила толпа пускающих слюни поклонниц.

Несколько мгновений он просто смотрел на нее, потом вдруг хлопнул себя по лбу:

— Боже правый, никак она ревнует!

— Что-о? — взвизгнула Брин. — Я ревную? — Она прищурилась, и глаза превратились в две щелочки. — Ах вы надутый, высокомерный, надменный фигляр! Да я бы никогда не стала устраивать вам...

Мягкий, но достаточно чувствительный толчок отбросил ее к стене. От удара и от неожиданности у Брин перехватило дыхание. Получив стратегическое преимущество, Райли запер ее в ловушку между собой и стеной.

— Что ты мне уже устроила, так это весьма напряженную жизнь и напряженный... — Он прижался к ней бедрами, ясно давая понять, что имеет в виду. — Ты самая невозможная, самая несносная женщина, какую я только имел несчастье встретить. Самая раздражающая, — он понизил голос, — возбуждающая, фантастическая... о, черт!

Он яростно набросился на ее губы. Брин сопротивлялась, как дикая кошка, визжала, изворачивалась, царапалась, молотила его кулаками — когда удавалось высвободить руки. Райли был сильнее, и он был мужчиной. Мужчиной, движимым желанием, неумолимо стремящимся к своей цели. Он сумел раздвинуть губами ее губы, язык ворвался в ее рот.

Гневные вопли Брин постепенно стихли и сменились тихими всхлипами, когда под настойчивыми ласками его языка она признала свое поражение. Как только Брин перестала сопротивляться, Райли обхватил ее лицо ладонями и еще сильнее прижался к ее рту. Его язык стал нежнее, губы сменили гнев на милость и перешли от нападения к убеждению, они больше не мародерствовали, а уговаривали. Его язык больше не врывался в ее рот яростными толчками, но с восхитительной медлительностью и тщательностью исследовал влажные глубины ее рта.

Казалось, поцелуй длился вечность. Наконец Райли оторвался от ее губ и поднял голову. В его затуманившихся глазах читалась такая же растерянность, как и в ее.

— Черт побери, Брин, — хрипло прошептал он, — что ты со мной делаешь?

Глава 4

На кухне воцарилась мертвая тишина, и звук капающей из крана воды казался шумом Ниагарского водопада.

— Тот первый поцелуй послал меня в нокаут, — хрипло прошептал Райли. Он знал, что Брин — хочет она в этом признаться или нет — вспоминает то же самое, что и он. — В жизни не знал ничего восхитительнее, чем вкус твоих губ. Я не мог тобой насытиться. Тот поцелуй потряс меня сильнее любого оргазма.

— Райли, прошу тебя.

Брин чувствовала, что снова слабеет. Черт бы побрал его хорошо подвешенный язык! Райли всегда был мастером экспромта. Он знал, что сказать и как преподнести это нужным образом. Неудивительно, что он годами остается королем утреннего эфира.

У женской половины зрителей нет никаких шансов устоять перед его бархатным голосом с плавными модуляциями, которым Райли виртуозно владеет.

Но она не зрительница, а Райли — не картинка на телеэкране. Он стоит перед ней во плоти, и все это происходит на самом деле.

— Что толку копаться в прошлом? Это нам не поможет.

Брин оттолкнула Райли и принялась сосредоточенно переставлять что-то на столе.

— Трусиха.

Она включила горячую воду на полную мощность, и ее окутало облако пара, поднявшееся над раковиной.

— Я не трусиха!

Райли рассмеялся:

— Если бы тебя тогда увидел адмирал Кэссиди, он бы не смог гордиться своей дочерью. Да если бы у него на флоте кто-то проявил такую трусость, адмирал бы его пристрелил.

— Я тебя не боялась, Райли.

— Верно, ты боялась не меня, — он кончиком пальца щелкнул ее по носу, — ты боялась себя и того, что творилось у тебя внутри. — Его палец медленно скользнул вниз по ее телу и легонько ткнул в живот чуть пониже пупка.

Брин хлопнула его по руке.

— Я просто ушла из кабинета.

— Ушла? Да ты сбежала, как испуганный кролик.

— Если ты хорошенько вспомнишь, меня позвали. Меня вызвал к себе управляющий. — Брин с силой сжала бутылку с жидким мылом.

— Да, я помню. Как только я коснулся твоей груди, Растяпа Уит постучалась в дверь с каким-то сообщением. — Он криво усмехнулся. — Никогда ей этого не прощу.

— Слава богу, что она появилась так вовремя. Не знаю, что тогда мной овладело.

— Не что, а кто. Я. Вернее, овладел бы, если бы нам не помешали.

Дерзкая усмешка и озорные огоньки в глазах не оставляли сомнений, что он наслаждается этой игрой слов.

Брин обдало жаром, словно ее тело гладил сам дьявол из преисподней.

— На работе ничего подобного не могло случиться. Нам обоим хватило бы здравого смысла.

Райли стал загружать в посудомоечную машину тарелки, которые Брин ополоснула мыльной водой. Он издал короткий смешок:

— Брин, детка, ты все еще невинна как ангел. Заруби себе на носу то, что я сейчас скажу. Если бы Уит не постучалась именно в тот момент, когда постучалась, я бы все, что угодно, сделал, чтобы пролезть к тебе под одежду, войти в тебя. Там же и тогда же. Я вообще не соображал, где я нахожусь, и это не имело никакого значения. Я должен был тебя поцеловать, должен был овладеть тобой. Да, конечно, у меня хватало ума не заниматься такими делами на работе, но, как только я до тебя дотронулся, здравый смысл полетел ко всем чертям.

Райли повернулся к ней, и Брин поглотило голубое пламя, полыхавшее в его глазах. Руки, погруженные в мыльную пену, застыли.

— Я так злился, что ты не пошла с нами в ресторан, что готов был свернуть тебе шею. Но я должен был тебя поцеловать, понимаешь, должен. Если бы надо мной разверзлись небеса, если бы разверзся ад и сам сатана схватил меня за ноги, я не обратил бы внимания, потому что должен был тебя поцеловать.

Брин заставила себя оторвать от него взгляд. Но уши она заткнуть не могла. Слова Райли окутывали ее, как мягкий бархат.

— С первого поцелуя я понял, что влюбился в тебя без памяти.

Он отошел в сторону, и напряжение, сковавшее Брин, немного ослабло. Она досадовала на себя: как можно позволять ему делать с ней такое! Он же играет с ее чувствами, а она ему позволяет. Не важно, зачем она вдруг понадобилась Райли через семь месяцев, но, как только его самолюбие будет удовлетворено, как только он получит от нее все, что ему нужно, она вернется туда же, откуда начинала.

— Ты не доел бутерброд. — Брин попыталась переключить его внимание.

— Потом доем, — небрежно отмахнулся Райли. Казалось, мысли его были где-то далеко. Он сидел на кухонном табурете, поставив ноги на нижнюю перекладину. — Думаю, именно тогда ты тоже поняла, что любишь меня.

Значит, ее обходной маневр не сработал. Раз уж Райли на чем зациклился, его уже не сдвинешь. Брин вдруг разобрала злость. Ладно, если он способен ворошить прошлое и не испытывать при этом невыносимой боли, то неужели она не сможет? Избегать разговоров об их золотых днях — не равносильно ли это признанию, что воспоминания все еще ей дороги? Будь она проклята, если даст Райли повод так думать!

— Интересно, как ты пришел к такому выводу? — с наигранной небрежностью поинтересовалась она.

— С того дня ты стала меня избегать.

— Вряд ли. Мы встречались каждый день.

— На совещаниях и на съемочной площадке — да. Но если мы хотя бы случайно встречались возле кофейного автомата, ты тут же улепетывала.

— Я никогда в жизни ни от кого не улепетывала.

— Не придирайся к словам, ты прекрасно знаешь, что я имею в виду. Ты боялась остаться со мной наедине даже на десять секунд.

— Потому что, как только мы оставались наедине, ты пытался меня лапать.

— Но тебе нравилось, когда я тебя лапал.

Брин покраснела, понимая, что бессмысленно отрицать очевидное.

— Нас могли увидеть.

— Я готов был рискнуть, мне страшно хотелось до тебя дотронуться.

— О да, конечно. Насколько я помню, ты тогда обхаживал вдову футболиста.

— Мне приходилось сохранять видимость. А ты как думаешь? Вдруг бы пресса пронюхала, что Джон Райли сохнет по своей продюсерше? Да даже если бы я пригласил тебя на свидание, ты не пошла бы, правда?

— Правда. Но ты нашел другой способ.

Райли пожал плечами:

— У меня не оставалось иного выхода, пришлось тебя одурачить.

Его улыбка была такой обезоруживающей, что Брин не удержалась и улыбнулась в ответ.

— Мне следовало сразу разгадать твои уловки.

— Полагаю, ты их и разгадала, — самодовольно заявил он.

— Что-о?! Ничего подобного!

Но как бы яростно Брин ни оспаривала его догадку, в действительности она не раз задавала себе вопрос: не чувствовала ли она тогда подсознательно, что он затеял?

— Алло?

— Привет, Брин. Чем занимаетесь?

Ну и нахал! Позвонить и не представиться! Думает, она сразу узнает его по голосу!

— Кто это?

— Прошу прощения. Говорит Джон Райли. Вы заняты?

Но за формальной вежливостью Брин расслышала насмешливые нотки в его голосе и тут же пожалела, что не придержала язычок и сама дала ему в руки оружие против себя.

— Да!

— И чем же?

— Убираюсь в квартире.

— Это нельзя отложить?

— Нет.

— Я хочу с вами встретиться.

— Как, прямо сейчас?

— Да, сейчас.

— Забудьте об этом.

— Почему?

— Я не хочу с вами встречаться.

— Но у меня возникла потрясающая идея, ее надо обсудить немедленно.

— Придется потерпеть. Сегодня суббота, у меня выходной. Обсудим вашу идею в понедельник на собрании съемочной группы.

Брин постаралась придать своему голосу обиженный и раздраженный тон, но ее пальцы нервно теребили телефонный провод, а сердце с каждым ударом кричало: «Не вешай трубку, не вешай трубку!» Ладони повлажнели, пульс участился чуть ли не вдвое. И это были только те проявления ее состояния, которые Брин согласилась признать, об остальном было стыдно даже подумать.

— Я стою в парке, — заявил Райли таким тоном, словно это все объясняло.

Брин покосилась в окно.

— В парке? В такой день? Сегодня жуткий холод, того и гляди пойдет дождь.

— Ерунда. Как скоро вы можете прийти?

«Пошли его к черту», — требовала здравомыслящая часть ее натуры.

— Я еще не согласилась с вами встретиться.

— Так вас интересует моя идея или нет? Что же вы за продюсер?

— Продюсер, которому слишком мало платят.

— Вы только что получили прибавку. Вам давалось три месяца, чтобы проявить себя. Когда последний подсчет рейтинга показал рост нашей зрительской аудитории, вам прибавили жалованье. Хотите, чтобы я сказал, сколько именно? Это уж будет совсем неловко.

Брин оторопела:

— Откуда вам все это известно?

— Растяпа подслушала, как ее папочка говорил об этом.

— Неужели она вам обо всем докладывает?

— Как вы уже подметили, она меня обожает. — Самодовольная усмешка передалась даже по телефонным проводам.

— Честное слово, вы настоящий...

— Когда вы будете здесь?

— Я не говорила, что приду.

— Но ведь вы придете, правда?

«Нет! Нет! Нет!» — звучал голос разума. Но язык, казалось, был не в состоянии произнести это короткое слово. Вместо этого Брин услышала собственное бормотание:

— Ну хорошо, но только ненадолго. Где вы находитесь?

Всю дорогу Брин заставляла себя идти медленнее. Не хватало еще, чтобы она пришла слишком быстро и показала, как ей хочется его увидеть. Но, несмотря на решение не торопиться и выглядеть равнодушной, Брин все-таки добралась до парка «Золотые ворота» в рекордно короткое время — запыхавшаяся и исполненная нетерпения. На условленном месте возле телефонной будки Райли не оказалось. Черт бы его побрал! Брин решительно не собиралась болтаться здесь в ожидании.

Ее внимание привлекло импровизированное соревнование, разыгравшееся на одной из зеленых лужаек, которыми славился парк. Доберман и ирландский сеттер наперегонки приносили «летающие тарелки», которые бросали их хозяева. Проходя через небольшую толпу, собравшуюся вокруг собак и их хозяев, Брин заставляла себя не вглядываться в лица в поисках Райли. Кто-то тихо свистнул у нее за спиной.

Брин оглянулась, но тут же поспешила отвернуться. Вид мужчины, окликнувшего ее таким бесцеремонным образом, заставил ее ускорить шаг. Мужчина был в темных очках, черной кожаной куртке и фетровой шляпе с широкими опущенными полями, низко надвинутой на лоб. К тому же он был небрит. Будь на нем длинное пальто, Брин могла бы принять его за эксгибициониста, а так она решила, что перед ней обычный прощелыга.

Звук повторился.

Покосившись через плечо, Брин с тревогой обнаружила, что подозрительный субъект идет за ней.

— Отстань!

Остались ли в наши дни места, где одинокая женщина может чувствовать себя в безопасности!

— Изображаешь из себя недотрогу, Брин?

Брин остановилась так резко, что едва не упала, запутавшись в собственных ногах. Она повернулась и всмотрелась в заросшую щетиной физиономию, почти скрытую темными очками и низко надвинутой шляпой.

— Что вы здесь делаете? Зачем вы так вырядились? Я вас не узнала.

— Так и было задумано. Когда я куда-нибудь иду в субботу утром, я предпочитаю, чтобы меня не узнавали.

Райли схватил Брин за руку и потащил через лужайку. Она едва поспевала за его широкими шагами.

— Я было приняла вас за какого-нибудь бабника.

— Так оно и есть. — Райли усмехнулся. — Разве я только что не снял девчонку?

— Куда мы идем?

— В кусты.

Брин попыталась остановиться — не тут-то было, Райли тянул ее за собой.

— Но я думала, у нас деловая встреча.

— С чего вы взяли?

— Вы сами сказали.

— Ничего подобного. Я сказал, что немедленно хочу обсудить с вами одну идею.

— Что ж, это значит... Ой! Помедленнее, я чуть не упала.

— Пардон. Так о чем вы говорили?

— Я... — Брин замолчала, чтобы перевести дух. Она запыхалась от быстрой ходьбы. — Вы сказали, что у вас появилась потрясающая идея и она не может ждать до понедельника. Нельзя ли передохнуть?

— О'кей. Все равно начинается дождь, давайте куда-нибудь спрячемся.

Райли побежал вдоль неглубокого рва. Брин не оставалось ничего другого, как броситься за ним. Райли втащил ее под пешеходный мостик, и в то же мгновение хлынул ливень. Ливень был такой сильный, что все вокруг скрылось за серебристой пеленой.

— Кошмар! Я же говорила, что будет дождь, — с раздражением сказала Брин, поворачиваясь к Райли. — В результате я зря трачу драгоценный выходной и торчу с вами под мостом в парке «Золотые ворота». Ну, и в чем же состоит ваша блестящая идея, из-за которой вы вытащили меня из дома? И ради бога, снимите вы эти дурацкие очки, чтобы я хотя бы видела, с кем говорю. — Райли снял очки и спрятал их в карман куртки. — Я слушаю. Выкладывайте вашу идею.

— Я думаю, наши отношения должны перейти на более серьезный уровень.

Брин смотрела на него с полным безразличием. После его слов выражение ее лица не изменилось, на нем не отразилось ни малейшего проблеска чувства. Когда прошло несколько секунд, а она все молчала, Райли сказал:

— Это все.

— Все? *Все?!* И из-за этого вы вытащили меня субботним утром из теплой, сухой, уютной квартиры?

— Ага! — подтвердил Райли с довольной улыбкой. — Что вы об этом думаете?

— Я думаю, вы рехнулись. — Она развернулась и уже почти вышла под дождь, но Райли вовремя схватил ее за куртку и втянул обратно под мост. Брин очутилась в крепком кольце его рук, и это оказалось удивительно приятно.

Райли был сильным, крепким, мужественным. Первым побуждением Брин было обнять его за шею и прижаться к нему как можно крепче. Но это было бы чистым безрассудством, и она сдержалась. Она попыталась вырваться из объятий. Бесполезно. Руки Райли только крепче сомкнулись вокруг нее.

— Я думаю, моя идея по меньшей мере заслуживает обсуждения.

— Мы можем обсуждать ее хоть до второго пришествия, от этого ничего не изменится. Райли, это невозможно.

— Нет ничего невозможного.

— Есть, и это как раз тот случай.

— Но почему?

— У нас ничего не получится.

— Почему?

— Мы вместе работаем.

— И что из этого?

— Значит, мы должны поддерживать чисто деловые отношения.

— Заткнись.

— Ах вы...

— Ради всего святого, Брин Кэссиди, помолчи хоть разок. Просто заткнись.

Он склонил голову и завладел ее губами. И Брин ответила. Даже под страхом смерти она не могла бы заставить себя не ответить на этот поцелуй, потому что никогда еще ни одно прикосновение не вызывало столь восхитительных, возбуждающих ощущений, как прикосновение его теплых и влажных губ. Движения его языка были то настойчивыми, то игривыми, то стремительными, то медленными и невероятно эротичными. Она чувствовала исходящий от него аромат мятной зубной пасты и дорогого мужского одеколона... а еще он пах дождем... и мужчиной... и сексом.

— Боже, Брин, я думал, что умру, так и не дождавшись, когда снова представится возможность тебя поцеловать.

Он зарылся лицом в воротник ее куртки и поцеловал шею, слегка царапая кожу небритым подбородком.

— Это безумие. Безумие. — Но даже ее собственная оценка ситуации не помешала Брин на всю катушку воспользоваться тем, что она находится в объятиях Райли. Она сбила с его головы шляпу, потерлась носом о его ухо и коснулась губами чуть посеребренных сединой темных волос. — Мы не должны этого делать.

— Но мы делаем, и, по-моему, это потрясающе.

— М-м-м.

— Ты не согласна?

— М-м-м.

Их губы снова слились. Поцелуй Райли обладал магической силой: Брин ощущала его всем телом, до самых кончиков пальцев на ногах. Сладко заныла грудь, волна тепла прокатилась по животу, сконцентрировалась между бедер. Брин просунула руки под куртку Райли, обхватила его за талию и положила ладони ему на спину.

— Если только нас кто-нибудь увидит... — со стоном выдохнула она, когда их губы разомкнулись, чтобы поиграть друг с другом.

— Не увидят. А даже если и так... о, черт!

— Что случилось?

— Что-то колется... наверное, «молния» твоей куртки. Да, точно. Вот так гораздо лучше.

Он расстегнул «молнию» ее куртки и прижал Брин к своей груди. Девушка удовлетворенно вздохнула.

Райли целовал ее с неистовством, которое приводило Брин в трепет, язык с таким рвением обследовал ее рот, словно искал путь проникнуть в ее душу.

— Я хочу тебя, Брин. Господи, как же я тебя хочу!

Он обхватил руками ее ягодицы, приподнял над землей и так прижал к себе, что у нее не могло возникнуть ни малейших сомнений в силе его желания. Райли подвинулся, и их тела так пристроились друг к другу, словно были половинками одного целого. Он вызывающе потерся об нее бедрами, и у Брин перехватило дыхание.

— Прошу тебя, Райли, пожалуйста... — Она и сама не знала, о чем молит, но всякий раз, как только Райли отрывался от ее рта, эти слова помимо воли слетали с губ.

Брин потеряла счет поцелуям. Ее руки жадно шарили по его телу, а его руки... его руки позволяли себе такое, что Брин почти сходила с ума от желания. Но каким-то чудом каждому из них удавалось сохранять остатки здравого смысла.

Наконец Райли опустил Брин, и ее тело заскользило вниз по его телу, пока ноги не коснулись земли. Прижавшись щекой к его груди, она услышала частые гулкие удары сердца. Райли любовно перебирал ее волосы, губы легко, как лепестки цветка, касались ее виска. Воздух вокруг них наполнился влажным паром дыхания...

— Иногда я снова слышу, как дождь стучит по мосту над нашими головами, — прошептал Райли.

Брин захватили воспоминания. Она прислонилась к кухонному столу, опираясь о него негнущимися руками. Райли стоял у нее за спиной. Близко. Так близко, что Брин чувствовала, как его тело откликается на воспоминания о том дождливом утре под мостом. Он взял ее за бедра — достаточно сильно, чтобы прижать ее ягодицы к своему паху. Когда он заговорил снова, Брин почувствовала на шее его теплое дыхание.

— Мне хотелось заняться с тобой любовью прямо там, под мостом. Лежа на листьях, стоя... как угодно. Я так сильно тебя хотел, что было больно. — Райли поцеловал ее в шею, коснулся кожи кончиком языка. — Может, так и следовало сделать. — Райли скользнул руками по ее бедрам и стал водить ими вверх и вниз, поглаживая живот, пока большие пальцы удобно не разместились в двух желобках, которые, сближаясь, вели к пульсирующему средоточию ее женственности. — Может, зря я тогда тебя послушался и не стал торопить события. — Пальцы пришли в движение, и Брин сдавленно охнула.

Она вырвалась и отошла на безопасное расстояние.

— У нас был только один путь, — сказала она дрожащим голосом. — И тогда, и сейчас. Ты не можешь просто так взять и вернуться в мою жизнь, словно мы не жили семь месяцев врозь, и продолжить с того момента, на котором мы остановились. Мне нужна свобода, нужно время, чтобы во всем разобраться.

— Чушь собачья! — взревел Райли. — Твоя свобода и время уже не привели тебя ни к чему хорошему. Ты устанавливала правила игры, а я им подчинялся, как дрессированный щенок. Ты настояла, чтобы у нас было только одно свидание в неделю, я согласился. Никаких глупостей на работе — пожалуйста. «На телестудии держись в профессиональных рамках», — сказала ты. Я так и сделал.

— Потому что ты не хуже меня понимал, что мы не можем ставить под угрозу нашу работу.

— Верно, с этим я согласился. Но мне пришлось несколько недель жить в сущем аду, прежде чем ты согласилась признать, что хочешь меня так же сильно, как я тебя. Ты чертовски упрямая особа, Брин. Я еще с первого поцелуя понял, что мы составим отличную команду — как в постели, так и вне ее. И в конечном счете я оказался прав. — Райли вдруг расхохотался. — Конечно, мне пришлось хорошенько тебя встряхнуть, чтобы ты признала мою правоту.

— Ты имеешь в виду...

— Да, именно это я и имею в виду...

...— Войдите, — крикнула Брин.

Дверь приоткрылась, и в кабинет продюсера заглянула Уитни.

— Привет. Извиняюсь за беспокойство, но у меня тут возникла одна проблема.

— Всего одна? — Брин улыбнулась. — Только не говори, что понедельничный гость отменил интервью.

— Нет, не отменил, но Райли уехал домой и забыл взять с собой материал для следующей передачи.

— Забыл, говоришь? — скептически переспросила Брин.

Райли так мастерски импровизировал во время интервью, что Брин стоило немалых трудов уговорить его изучать конкретную информацию о госте до того, как прозвучит команда: «Начали».

— Уж не знаю, только папка с материалами осталась на столе, а его уже нет. Я бы сама ее отвезла, но мне сразу же после работы надо бежать, а на выходные я с родителями улетаю в Палм-Спрингс.

Брин с явной неохотой взяла папку.

— Ладно, так и быть, по дороге домой завезу ему папку.

В числе условий, которые она поставила Райли, был и такой пункт, что они не будут заходить домой друг к другу. Брин не знала, долго ли ей удастся продержаться, прежде чем лечь с ним в постель, но была полна решимости не стать всего лишь его очередной победой.

В ту пятницу она засиделась на работе допоздна в надежде, что Райли куда-нибудь уйдет и она сможет со спокойной совестью оставить папку в почтовом ящике. Вот только Брин не знала, как перенесет известие, что Райли отправился на свидание с другой.

Однако, когда она подъехала к его дому, спортивный автомобиль Райли стоял на подъездной дороге. Брин вышла из машины и на дрожащих от волнения ногах пошла к двери, чувствуя себя как начинающий музыкант, которому впервые в жизни предстоит выступать с сольным концертом.

Она позвонила в дверь, потом еще раз. В доме было тихо. Брин уже собиралась бросить папку в почтовый ящик и со всех ног помчаться к машине, когда дверь отворилась.

— О!

Брин всплеснула руками, но удержалась, чтобы не прикрыть глаза.

— Брин? — В голосе Райли слышалась непритворная радость. —Что ты здесь делаешь?

— Я... я привезла вот это. — Она сунула ему в руки папку с такой поспешностью, словно та жгла ей руки. — Ты принимал душ?

Райли усмехнулся. Сердце Брин пропустило несколько ударов. Он ухитрялся выглядеть сногсшибательно даже с мокрыми волосами, прилипшими ко лбу.

— Не-а. Я всегда разгуливаю по дому с мокрой головой и обмотавшись полотенцем. — Он отступил от двери. — Заходи.

Брин вошла внутрь, двигаясь, как сомнамбула. Вид его обнаженной груди заворожил ее. Под кожей, все еще хранившей следы летнего загара, рельефно вырисовывались мускулы — достаточно развитые, но не имеющие ничего общего с гипертрофированными мышцами культуристов. В поросли волос, покрывавших грудь, поблескивали капельки воды. Брин сглотнула, живо представив, как слизывает языком эти крошечные капельки. Она изо всех сил старалась не задерживать взгляд на махровом полотенце, прикрывающем его бедра, но не могла не заметить, что ноги Райли были такими же стройными и пропорциональными, как и все его тело. Когда ее глаза наконец вернулись к его лицу, в горле у Брин настолько пересохло, что она едва могла говорить.

— Я... я не могу задерживаться.

— Не глупи, Брин. К тому же мне давно хотелось увидеть тебя в своем доме.

Даже рискуя показаться в лучшем случае грубой, в худшем — ханжой, Брин не могла заставить себя сделать шаг вперед. Она остановилась у дверей и стала разглядывать просторный, со вкусом отделанный холл. Через окно в потолке было видно небо. Повсюду стояло множество растений в горшках. Райли закрыл у нее за спиной входную дверь. Щелкнул замок, и этот металлический звук, в котором слышалось что-то фатальное, привел Брин в чувство лучше нашатыря.

— Извини за вторжение, — на одном дыхании выпалила она. — Я понимаю, ты наверняка собираешься уходить... Не будь это так важно, я бы ни за что не явилась к тебе домой в пятницу вечером. Но в понедельник у нас два интервью, одно из которых касается абортов — вопрос сложный и противоречивый, мы собрали большой материал на эту тему, и совершенно необходимо...

— Брин, я люблю тебя.

Брин замерла как вкопанная, глаза расширились. Она ничего не сказала, даже не улыбнулась. И ей почему-то не показалось странным, что Райли произнес эти слова, стоя в лужице воды, натекшей с него на пол. В кои-то веки она просто стояла и молча слушала.

— Я не собирался никуда уходить, я готовился провести тихий вечер дома в одиночестве и думать о тебе. Чем я и занимаюсь чуть ли не каждую минуту последнее время.

Райли положил папку на стол и шагнул к Брин. Теперь они стояли вплотную друг к другу.

— Я люблю тебя.

Обхватив ее лицо ладонями, он подарил Брин поцелуй, слаще которого она еще не знала. Страсть кипела где-то у самой поверхности, но это был не страстный поцелуй, а поцелуй-поклонение, нежное проявление любви.

Медленно и спокойно, почти отрешенно Райли расстегнул пуговицы ее плаща и спустил его с ее плеч. Плащ соскользнул на пол. Легонько, едва касаясь ткани, его пальцы скользнули вдоль застежек ее блузки. Потом, не спрашивая разрешения, Райли принялся не спеша расстегивать пуговицы. Расстегнув все до последней, он распахнул полы блузки.

В первое мгновение взгляд Райли заметался, но затем движение глаз замедлилось, взгляд остановился на ее груди и начал неторопливое путешествие, не упуская ни единой детали, наслаждаясь цветом, формой, нежностью кожи. Так же неторопливо он расстегнул бюстгальтер. Брин не возражала. Кружевные чашечки раскрылись, выпуская на свободу грудь.

Брин видела, как он напрягся, натужно глотнул, сморгнул слезы, потом опустил голову, и она почувствовала на своей груди его губы — горячие, влажные, любящие.

— Я люблю тебя, люблю, люблю... — повторял Райли, касаясь губами шелковистой кожи. Он покрыл поцелуями роскошные округлости, взял в рот сосок, и тот под его языком превратился в твердую упругую горошину.

Брин сдавленно всхлипнула и вцепилась руками в его волосы.

— Я тоже тебя люблю. Я не хотела тебя любить, но люблю.

Их губы нашли друг друга и слились в жадном поцелуе. Ощущение, которое испытала Брин, когда ее обнаженные груди коснулись его влажной после душа груди, было ни с чем не сравнимо. Она непроизвольно потерлась об него, поросль волос щекотала соски, и ее грудь словно пронзили крохотные электрические разряды. Они снова стали целоваться, это была настоящая оргия поцелуев, перемежающихся бессвязным любовным лепетом, страстными вздохами и стонами нарастающего желания.

— Брин, любовь моя, полотенце...

— Что такое?

— Оно упало.

Крепко обняв его за шею, Брин прижалась к нему, уткнувшись лицом в плечо, и почувствовала, как ей в живот упирается его восставшая плоть.

— Правда?

Райли утвердительно промычал и немного отстранился, чтобы заглянуть ей в лицо, когда Брин поднимет голову и встретится с ним взглядом. Потом взял ее руку, обнимавшую его за шею, и пылко поцеловал раскрытую ладонь. Жар этого поцелуя прошел волной по ее руке и сконцентрировался где-то в районе живота.

— Дотронься до меня.

Райли направил ее руку вниз и положил себе на талию, оставляя окончательный выбор за

Брин. Она могла отказаться, и он бы ее понял. Но Брин любила его, и в ту минуту ей казалось, что нет ничего важнее, чем показать ему свою любовь. Ее ладонь распласталась по его плоскому животу и медленно двинулась вниз. Пальцы прошли через жесткие волоски и наткнулись на бархатный кончик его члена. Брин принялась несмело исследовать его. Райли резко втянул воздух, по его телу прошла волна дрожи, голова упала на плечо Брин. Она захватила его в свой крепкий и нежный кулачок, и Райли хрипло застонал:

— О... бог мой... Брин, сладкая моя... я хочу... а-ах...

Райли поцеловал ее с несдерживаемой страстью, затем оторвался от ее рта, на миг прижался губами ко лбу и хрипло зашептал:

— Будь моей, Брин, будь моей...

Глава 5

—...будь моей.

Это не эхо долетело из прошлого, искренняя мольба звучала в настоящем, здесь и сейчас. Райли крепко сжимал ее в объятиях, его губы скользили по щеке Брин.

— Люби меня, Брин, будь моей женой снова.

В дверь позвонили.

Словно очнувшись от сна, Брин отскочила от Райли. На ее щеках выступил румянец, глаза лихорадочно блестели. Звонок подействовал на ее разгорающееся желание как ведро воды на тлеющий костер. Он привел ее в чувство, но Брин не знала, радоваться ей или плакать.

Она поспешила в гостиную, Райли — следом, не отставая ни на шаг. Брин приоткрыла дверь и выглянула наружу.

— Эйбел?

Брин надеялась, что мужчина на улице не слышит, как Райли разразился проклятиями. Было совсем нетрудно представить, как он гневно нахмурил брови, но Брин не решалась оглянуться, не желая выдавать его присутствие в доме. Как бы она объяснила Эйбелу, что здесь делает ее бывший муж?

— Вот это сюрприз так сюрприз! — Голос Брин дрожал, дрожала и рука, нервно теребившая прядь волос. Фраза, которую произнесла Брин, была взята из сценария мыльной оперы, но она надеялась, что Райли примет ее за чистую монету.

Райли была слышна только та часть диалога, которую произносила Брин, но он жадно ловил каждое слово. Прямой, как шомпол, он застыл в напряженной позе и весь дышал гневом.

— Нет, я еще не спала... я бы вас пригласила, но уже поздно... Конечно, думала, но я еще не решила окончательно. Я же сказала, что отвечу утром... знаю, но мне нужно время подумать... да, обещаю. Спокойной ночи, Эйбел.

Тихо-тихо, будто боясь разбудить спящее чудовище, Брин закрыла дверь.

Но когда машина Эйбела отъехала от дома и Брин повернулась лицом к Райли, оказалось, что чудовище уже проснулось и разбушевалось вовсю.

— У него что, привычка такая — приставать к тебе со своими ухаживаниями после полуночи?

— Нет. И он ко мне не пристает.

— Интересно знать, как это, по-твоему, называется?

— Никак.

— И часто он занимается этим «никак»?

— Никогда не занимался. Сегодня первый случай, когда Эйбел приехал ко мне ночью.

— И ты думаешь, что я поверю?

— Но это правда!

— Почему он явился именно сегодня?

— Захотел еще раз поблагодарить за вечеринку.

Райли пробурчал под нос что-то неразборчивое, и Брин порадовалась, что не смогла расслышать все в подробностях: нескольких ключевых слов, которые ей все-таки удалось разобрать, оказалось вполне достаточно, чтобы дорисовать полную картину.

— Эйбел хотел узнать, приняла ли я решение насчет работы.

Брин направилась на кухню, Райли преследовал ее, как гончий пес, и проскочил туда вслед за ней, прежде чем она успела закрыть дверь у него перед носом.

— Вы же, кажется, договорились на утро? Разве не так? Тогда с какой стати он достает тебя со своей работой сейчас? — Райли был в ярости, а в том, что он в ярости страшен, Брин уже имела возможность убедиться. — Не знаю, как этому типу, будь он хоть трижды богат и могущественен, могло втемяшиться в башку явиться ночью к моей жене!

Райли в сердцах стукнул ладонью по столу. Он не видел стакана, не слышал, как хрустнуло стекло и разлетелись осколки, даже не чувствовал боли — Райли вообще не замечал, что произошло, пока не увидел, как Брин зажала рот рукой, чтобы не завизжать. Только тогда он опустил глаза и увидел, что из руки чуть выше большого пальца льется кровь.

— Будь я проклят, — тихо пробормотал он.

После секундного замешательства Брин бросилась действовать. Она метнулась к раковине и пустила холодную воду.

— Райли... о, боже... тебе больно? Иди сюда, подержи руку под водой. Господи, как сильно течет кровь! — Она наложила на рану кухонное полотенце, но из этого не вышло ничего хорошего. На ткани проступило красное пятно, пятно расплывалось, пока кровь не пропитала все полотенце. — Боже, Райли... — Брин всхлипнула и прикрыла рот рукой, не замечая, что ее пальцы перепачканы кровью. У нее на глазах выступили слезы.

Райли спокойно промокнул глубокий разрез, протянувшийся от сустава большого пальца почти до запястья.

— Пожалуй, рану нужно зашить, — заключил он с удивительным самообладанием. — Ты не могла бы отвезти меня в больницу?

— Да, конечно. Дай подумать...

Она подняла руку ко лбу, будто пыталась навести какое-то подобие порядка в сумятице мыслей. У мужчины, которого она любила, опасное кровотечение. Правда, они живут врозь уже семь месяцев, но сейчас Брин даже не вспомнила об этом. Его боль — это ее боль, и в эту минуту она готова была отдать жизнь, только бы он не страдал.

— Возьми куртку. — Она набросила ему на плечи ветровку. — Дай-ка я перевяжу твою руку чистым полотенцем. — Пока она перевязывала руку, пальцы действовали механически. Если бы она хоть на секунду задумалась о том, что эта кровь — кровь Райли, что эта рваная рана — на его руке, она бы не смогла ничего делать. — Ну вот, надеюсь, это поможет остановить кровотечение, пока мы доберемся до больницы. Где мои ключи? А, вот они. — Она потянулась к крючку возле двери черного хода, на котором всегда оставляла ключи от машины. — Осторожнее, дорогой. — Брин стала помогать Райли спуститься по лестнице, словно у него были ранены ноги, а не рука. — Нет, не надо, я придержу дверь. Тебе очень больно?

— Нет, — соврал Райли с бесшабашной улыбкой.

— Не пытайся меня обмануть! Я знаю, что тебе больно, и еще как. У тебя побелели губы. Я всегда вижу, когда тебе больно, потому что у тебя белеют губы. Помнишь, как ты повредил спину, играя в софтбол? Я знала, что ты мучаешься, хоть ты и клялся, что это не так.

Брин усадила Райли на переднее сиденье и застегнула ремень безопасности. Через несколько секунд ее «Датсун» уже несся по холмистым улицам Сан-Франциско к ближайшей клинике «Скорой помощи».

— Дорогой, может, тебе лучше немного приподнять руку? Так лучше, правда? Может, откинешься на подголовник? Потерпи, мы очень скоро доедем.

— Из тебя получится потрясающая мамаша.

— Что? — На долю секунды — дольше не позволяла сумасшедшая скорость — Брин оторвала взгляд от дороги. — Мамаша? — переспросила она тоненьким голоском.

— Да. Я подумал, что мы могли бы завести парочку детишек. А ты как считаешь?

— Ну... в последнее время я об этом не думала.

— А я думал. У нас были бы потрясающие дети.

— Дети — это большая ответственность.

— Не пойми меня превратно, но, чтобы родить мне ребенка, тебе не придется ни от чего отказываться. Я бы хотел — из эгоистических соображений, — чтобы ты продолжала работать в моей программе столько, сколько захочешь.

— Мне бы не хотелось заводить одного ребенка. Я сама была единственным ребенком в семье, ты тоже, сам знаешь, это не очень-то здорово. Я бы завела как минимум двух.

— Так ты согласна, что нам нужно снова жить одной семьей?

— Давай поговорим об этом позже, хорошо? — рассеянно проговорила Брин. Покосившись на руку Райли, она заметила, что кровь просочилась сквозь полотенце, и похлопала его по бедру неосознанным жестом женщины, успокаивающей своего мужчину. — Мы почти приехали.

Развернувшись, Брин припарковала машину в неположенном месте. Едва она открыла перед Райли дверцу, тут же появился полицейский.

— Простите, мисс, здесь нельзя парковаться.

Брин подхватила Райли под руку и помогла ему выйти из машины и только потом повернулась к полицейскому. С тех пор как Брин вышла замуж за Джона Райли, она жестко следовала установленному ею самой правилу — не пользоваться его именем ни при каких обстоятельствах. Но сейчас она не задумываясь нарушила это железное правило и выпалила:

— Это Джон Райли, а я его жена. Он поранил руку, у него сильное кровотечение, я веду его к врачу.

Полисмен уставился на Райли.

— Черт, а ведь и правда! Мы с моей старухой не пропускаем ни одной вашей передачи. Понимаете, я работаю в ночную смену, а днем бываю дома. Без «Райли» и утро не утро, так говорит моя жена.

— Нельзя ли нам просто... — Брин стала обходить полицейского, подталкивая вперед Райли.

— Конечно, мисс, то есть миссис Райли, ведите его к врачу. Если вы дадите мне ключи, я сам переставлю вашу машину.

— Ключи в машине, — бросила через плечо Брин.

Она почувствовала, что Райли сотрясает дрожь, и обеспокоенно посмотрела ему в лицо. Только бы он не упал в обморок от потери крови. Но Райли усмехался: его вовсе не била дрожь, он трясся от смеха.

— Разве ты не клялась, что никогда не будешь вести себя как жена звезды? Что никогда не будешь пользоваться моим именем?

— Это особый случай, — строго заявила Брин.

Райли захохотал, и его смех привлек к ним внимание. Как только медсестра в приемном покое его узнала, она немедленно проводила их с Брин в кабинет для осмотра. Целая толпа медсестер тут же окружила Райли: одна размотала полотенце и так энергично принялась промывать глубокую рану, что у Брин свело желудок. Другая сунула ему в рот термометр. Третья стала измерять давление. Стоявшая чуть поодаль Брин почувствовала себя ненужной.

В кабинет широкими шагами вошел врач.

— Говорят, к нам привезли знаменитость?

— Прошу прощения, но я не могу пожать вам руку. — Райли криво усмехнулся и протянул врачу правую руку для осмотра.

Свое мнение по поводу раны врач выразил несколькими «кхе-кхе» и «гм». Брин беспокойно переминалась с ноги на ногу, от волнения покусывая губу. Ее тревожили вопросы, на которые она пока не получила ответа. Не перерезало ли стекло артерию? Не пострадали ли важные мышцы?

— Придется наложить несколько швов. Два-три дня может сильно болеть, но через неделю, самое большее — дней через десять все заживет. — Врач похлопал Брин по плечу. — Пойду выпью чашечку кофе, пока медсестра сделает ему обезболивание и...

— Укол? — вмешался Райли, впервые за все время бледнея.

— Да, и боюсь, что не один.

— В руку? — Голос Райли дрогнул.

Брин спешно протиснулась сквозь толпу медсестер, которые не сводили глаз со своего кумира. Райли протянул к ней здоровую руку.

— Мой муж не любит уколов. Ему не нравятся иглы.

— Они понравятся ему еще меньше, если я стану зашивать рану без анестезии.

Левой рукой Брин крепко обняла Райли за плечи, правой отвела волосы с его покрывшегося потом лба. Лицо Райли приняло землистый оттенок.

— Потерпи, дорогой, скоро все кончится. Я побуду с тобой.

И она сдержала обещание. Брин была с Райли все время, пока ему делали уколы — целых пять, — от каждого из которых его прошибал пот, пока накладывали на рану семнадцать швов, пока руку тщательно бинтовали. Она успокаивала Райли, когда он бормотал ругательства, отпускала шуточки насчет трусливых красавчиков, когда он побелел при виде шприца, изо всех сил стискивала его плечи, когда игла вонзилась в кожу рядом с раной.

Они вышли из больницы, и любезный полицейский настоял на том, чтобы подогнать машину к дверям. На обратном пути Брин не пришлось уговаривать Райли откинуться на подголовник. Последствия травмы и операции начали сказываться. Райли откинул голову и устроился так, чтобы смотреть на Брин.

— А знаешь, я вовсе не боюсь игл, — сонно произнес он.

— Врешь ты все. Помню, как ты заболел ангиной и отказывался сделать укол пенициллина. Ты так затерроризировал бедную медсестру, что ей пришлось вызвать меня из комнаты для посетителей, только тогда удалось уговорить тебя снять штаны.

— По-моему, ей просто хотелось взглянуть на задницу Джона Райли.

— Насколько я помню, твоя задница не произвела на нее особого впечатления. По-моему, ее давно перестали интересовать чьи бы то ни было зады. Попытайся придумать что-нибудь более убедительное.

— Я просто искал благовидный предлог, чтобы положить голову на твою великолепную грудь. И это не вранье.

— И ради этого ты поднял такой переполох, что нас выгнали из кабинета врача?

— Дело того стоило. Как и сегодня. Ты заметила, что, когда никто не видел, я потихоньку поцеловал твою грудь?

Брин метнула на него уничтожающий взгляд.

— Рассказывай свои байки тому, кто в них поверит, Райли. Я-то знаю, что ты трус.

— Но ты ведь заметила?

— Да-да, заметила, успокойся.

Райли усмехнулся и стал смотреть вперед.

— Куда мы едем?

— Я везу тебя домой.

— Ко мне домой?

— Конечно, а ты что подумал?

В голосе Брин слышалось сомнение.

— Я рассчитывал, что ты позволишь мне переночевать у тебя. Как-никак я поранил правую руку. — Он показал ей перебинтованную кисть, словно Брин нуждалась в напоминании. — Может, у меня поднимется температура или случится шок. Я могу...

— Ладно, уговорил, и, ради бога, избавь меня от этих ужасов. — У ближайшего светофора Брин развернулась. — Только предупреждаю: не надо видеть в этом то, чего нет. Я просто поступаю так, как поступил бы на моем месте любой гуманный человек по отношению к другому человеку.

— О, я понимаю и очень ценю твою гуманность, — серьезно сказал Райли, но Брин почувствовала за его словами насмешку.

Несколько кварталов они ехали молча. Наконец Райли сказал:

— Знаешь, что это мне напоминает?

— Что?

— Ночь, когда мы поженились.

Машина резко вильнула, и Брин чертыхнулась.

— Яма на асфальте, — объяснила она.

Но Райли знал, что дело вовсе не в асфальте, просто Брин вспомнила ту ночь, когда она стала его женой.

— Тогда мы все бросили и рванули на озеро Тахо, помнишь?

Разве она могла забыть?

— Да уж, ты все бросил в самом прямом смысле.

— Ты имеешь в виду полотенце?

— Да.

— О черт! — простонал Райли, когда воспоминания унесли его в прошлое. — Твоя рука лежала на мне, и я умирал от желания. Я тогда сказал: «Будь моей, Брин». А ты ответила...

* * *

— Нет, Райли, я не могу.

Брин оттолкнула его и опустила глаза, но тут же подняла взгляд. Господи, как же он красив!

— Не можешь? — прохрипел Райли.

— Не могу.

— Но ты сказала, что любишь меня!

— Да, сказала. — Брин застонала. — Я тебя люблю, но не хочу стать еще одной из твоих бесчисленных поклонниц. Я все знаю о твоей коллекции скальпов. Твои сексуальные подвиги — любимая тема женских разговоров за чашкой кофе в студии. Не хватало еще, чтобы мое имя трепали наравне с другими. А когда я тебе надоем и ты меня бросишь, мы больше не сможем работать вместе.

— Ты хочешь сказать, что не ляжешь со мной в постель?

— Вот именно.

Райли осторожно положил обе руки ей на плечи.

— Ты не веришь, что я тебя люблю?

— Верю. Точнее, я верю, что ты в это веришь. Но...

— Ты не веришь, что я чувствую к тебе совсем не то, что к другим женщинам? Что мои чувства серьезны?

Брин прикусила губу и покачала головой.

— Но я правда люблю тебя, Брин. И я хочу заниматься с тобой любовью. Что я должен сделать, чтобы ты легла со мной в постель?

Брин улыбнулась:

— Женись на мне.

— Хорошо.

Голова Брин дернулась так резко, что на миг ей показалось, будто в шее сместилось несколько позвонков.

— Что ты сказал?

— Я сказал «хорошо». Хорошо, я женюсь на тебе. Я надеялся, что ты поставишь такое условие и это избавит меня от необходимости вставать на одно колено. Представляешь, как нелепо выглядит голый мужчина, стоящий на одном колене? А если бы ты ответила отказом? Хорош бы я был — мало того, что униженный, так еще и голый при этом.

— Н-но... я просто пошутила.

Райли бросил на нее из-под нахмуренных бровей такой взгляд, от которого все женщины в зрительном зале перестали бы дышать.

— Ты всегда играешь с мужчинами в эту игру? Всем в шутку предлагаешь на тебе жениться?

— Нет, но...

— Так ты выйдешь за меня, Брин?

Брин утонула в бездонных лазурных озерах его глаз и впоследствии так и не могла толком вспомнить, как она говорила «да».

— Это безумие, — прошептала она полчаса спустя, когда уже они мчались на машине в направлении озера Тахо.

— Да, я без ума от тебя. Я обезумел и влюблен впервые в жизни.

Райли положил руку на застежку ее платья.

— Боюсь, мы войдем в историю как двое сумасшедших, разбившихся на этой дороге, если ты не будешь смотреть вперед и... держать руки на руле.

— Хочешь, чтобы я остановился? — прошептал Райли ей в ухо. Его пальцы в это время легонько ласкали ее сосок.

— М-м-м... нет.

Рука Брин, лежавшая у него на бедре, поползла вверх и сжала его.

Райли тихо выругался и убрал руку с ее груди.

— Ладно, считай, что ты меня убедила.

Брин откинулась на спинку и мечтательно проговорила:

— Мои будут ужасно разочарованы. Маме всегда хотелось, чтобы у меня было настоящее венчание в церкви, длинное белое платье и все такое. Она потратила кучу денег, много лет подряд выписывая журнал «Невеста».

— Мы позвоним им завтра утром и пригласим провести с нами остаток уик-энда. Только в другом номере, естественно, — поспешно добавил Райли. — Как ты думаешь, я им понравлюсь?

Брин усмехнулась:

— Не так давно мама невзначай заметила, что мне пора остепениться и выйти замуж за приличного молодого человека вроде Джона Райли. Что пора подумать о семье, завести дом, сад и собаку.

— А твой отец? — В голосе Райли послышались неуверенные нотки. Брин уже рассказывала о своем строгом отце и его армейских замашках. — Интересно, что обо мне подумает адмирал Кэссиди?

— Как-то раз он пробурчал что-то в таком духе, что у Джона Райли слишком длинные волосы. Но ты не очень переживай, на его вкус, у всех волосы слишком длинные. Если это будет его единственным замечанием, считай, что ты принят с распростертыми объятиями. А как насчет твоей матери?

Брин знала, что отец Райли умер, а мать живет в Сан-Хосе.

— Ей я тоже позвоню и приглашу к нам. Раз уж мы не пригласили их на свадьбу, устроим настоящее семейное торжество и попытаемся загладить свою вину.

— Как ты думаешь, я ей понравлюсь?

— Шутишь? — Райли даже повернулся к ней, снова перестав следить за дорогой. — Она много лет твердит, что я ловкий прохвост и больше всего мне нужна хорошая женщина, которая возьмет меня в оборот.

Брин рассмеялась и прижалась к нему.

— Я собираюсь тебя взять, но не в оборот, а в мужья.

На протяжении долгого пути они рассказывали друг другу разные подробности о своей жизни, знакомились по-настоящему.

Брин предполагала, что они поженятся в одной из дешевых церквушек, которые как грибы выросли вдоль шоссе, стоило им только пересечь границу штата Невада. Церкви эти наперебой зазывали клиентов яркими неоновыми рекламами, содержание которых было везде однотипным: низкие цены, обслуживание двадцать четыре часа в сутки, искусственные цветы и органная музыка — за отдельную плату. Особо подчеркивалось, что анализ крови не требуется.

Однако Райли затормозил перед церковью причудливой архитектуры, стоявшей в отдалении от шоссе в окружении высоких сосен. Эта церковь отличалась от остальных шпилем и витражами в окнах. Сквозь цветные стекла струился мягкий приглушенный свет. Райли помог Брин выйти из низкого спортивного автомобиля, взял под руку и повел вверх по лестнице к арочному входу в церковь.

Войдя внутрь, Брин ахнула от удивления и восторга. Вся церковь, сияющая огнями бесчисленных свечей, была украшена белыми цветами, причем живыми. Центральный проход, устланный ковром, вел к алтарю, перед которым стоял солидный священник в очках, словно сошедший с картины Нормана Кента. При появлении жениха и невесты сидевшая за органом пышногрудая женщина, по-видимому жена священника, улыбнулась им ангельской улыбкой, и церковь наполнилась звуками традиционного свадебного марша.

Вдруг Райли остановился и озабоченно нахмурился.

— Ты ведь случайно не католичка и не иудейка?

— Нет.

— Значит, протестантская церковь подходит?

— Да, конечно... — Брин огляделась и снова восхищенно вздохнула. — Когда ты успел это организовать?

— По телефону. Пока ты переодевалась и паковала вещи в спальне, я позвонил из гостиной и обо всем договорился. Ты довольна?

— Довольна? — переспросила Брин с нежной улыбкой. — Я восхищена. Ты прелесть, я люблю тебя.

— И я тебя люблю, — хрипло прошептал Райли и закрыл ей рот страстным поцелуем. Их заставил оторваться друг от друга только священник, через некоторое время напомнивший о своем существовании деликатным покашливанием.

После того как были произнесены супружеские обеты, Райли отвез Брин в роскошный отель, расположенный у подножия горы.

— Я здесь впервые, но, насколько понял, отель должен быть пятизвездочным.

Это стало ясно, как только они вошли в роскошный, обставленный антикварной мебелью холл с концертным роялем и огромным камином. Лифт плавно вознес их прямо в номер люкс, при виде которого Брин замерла, пораженная, словно деревенская девчонка, попавшая в сказочный дворец.

В роскошном номере все было продумано до мелочей и организовано с максимальным удобством для обитателей. Между просторной гостиной и спальней с камином и кроватью королевских размеров находились небольшая кухня и бар. Ванная была оборудована по последнему слову техники.

— Ну как, готова разрезать свадебный пирог? — спросил Райли после того, как Брин осмотрела номер.

— Свадебный пирог?

На тележке, которую вкатил невозмутимый официант, Брин увидела не пирог, а суфле, возвышающееся над бисквитным основанием на добрых два дюйма. Оно казалось пышным и легким, как гигантская зефирина. Блюдо с суфле стояло на туго накрахмаленной льняной салфетке, сложенной в форме лебедя, а этот «лебедь», в свою очередь, плыл по «морю» из белых цветочных лепестков.

Брин смотрела на этот шедевр кондитерского искусства сквозь пелену счастливых слез и молилась только об одном: если все это сон, то пусть он продлится до утра.

— Какая красота!

Справившись у Райли, не нужно ли им еще чего-нибудь, официант удалился. Райли разрезал ванильное суфле, полил порцию Брин шоколадным соусом и подал ей. Они кормили друг друга из рук, а когда все перепачкались, стали облизывать друг другу пальцы.

За суфле последовало шампанское. Брин чувствовала себя невесомой и сама искрилась от счастья, как вино. Обняв за талию, Райли мягко подтолкнул ее из гостиной в спальню. Там он взял у нее из рук бокал с шампанским и отставил его в сторону. Голубые глаза горели огнем.

— Ну вот... — тихо сказал он.

— Ну вот... — Брин заехала в гараж и нажала кнопку, закрывая автоматические двери. — Вот мы и дома. — Райли поднял голову и часто заморгал. — Ты спал?

— Нет. Вспоминал нашу первую брачную ночь.

Значит, они думали об одном и том же, но Брин не станет ему об этом говорить. Во всяком случае, не сейчас. Не сейчас, когда лицо Райли осунулось и побледнело от потери крови, а вокруг глаз залегли темные круги. Не сейчас, когда ей хочется охранять и оберегать его, когда ее переполняют почти материнские чувства. Не сейчас, когда ему предстоит провести ночь в ее доме.

Брин за руку проводила Райли в дом, предупредив, чтобы он смотрел под ноги и не наступил на осколки стекла, рассыпанные на полу в кухне.

— Тебе что-нибудь нужно? — Она заботливо сняла с него куртку. — Может, хочешь поесть или выпить?

Райли отрицательно покачал головой. Тогда Брин без лишних разговоров провела его на второй этаж в спальню.

— Рука сильно болит? — участливо спросила она, разбирая постель.

— Нет, анестезия до сих пор действует. Плохо, что пострадала правая рука. Боюсь, в ближайшие несколько дней от нее будет мало толку.

— Тебе придется поберечь руку и вообще не напрягаться. Ты потерял много крови.

— Да, хорошо еще, что не пришлось делать переливание крови. Не уверен, что я бы выдержал, если бы у меня из вены так долго торчала игла.

Райли разулся и присел на краешек кровати, затем машинально поднял руку, чтобы расстегнуть рубашку, и только тогда понял, насколько он беспомощен.

— Подожди, я помогу!

Брин бросилась к нему, взяла за руку и помогла встать. Райли стоял перед ней, бессильно опустив руки, а она принялась сноровисто расстегивать рубашку. С первыми пуговицами было покончено быстро, но когда ее пальцы стали касаться мягких, пружинистых волосков на его груди, дело пошло хуже, руки стали неуклюжими. До Брин вдруг дошло, что процедура раздевания обещает стать очень интимной, превратиться в напоминание о минувших днях, о многих ночах, когда они раздевали друг друга, превращая это занятие в возбуждающую игру. Или о других ночах, когда в страстном нетерпении они чуть ли не рвали друг на друге одежду.

Брин вытянула полы рубашки из-за пояса джинсов. Ее взору открылась крепкая грудь Райли. Картина была ей до боли знакома, Брин помнила ее почти так же хорошо, как собственное отражение в зеркале. Темная поросль волос, упругая загорелая кожа, плоские соски, чувствительные, как она знала, к малейшему прикосновению ее пальцев или языка. На теле Райли не было ни грамма жира, и под кожей были заметны ребра. Живот у него был плоский и мускулистый, вокруг пупка колечками вились волосы.

Брин бросила его рубашку на стул и как можно непринужденнее спросила:

— Ты хочешь... гм... снять джинсы?

— Обычно я в них не сплю.

Брин опустила голову, чтобы Райли не увидел выражения ее лица. Догадывается ли он, что у нее кружится голова? Брин закрыла глаза и постояла так некоторое время, пока не почувствовала, что в состоянии продолжать. Ей пришлось сделать над собой усилие, чтобы взяться за ремень. Металлическая пряжка холодила пальцы, но кожа под ней излучала тепло. Непослушными пальцами Брин кое-как расстегнула ремень и пуговицу и потянула вниз язычок «молнии», натягивая ткань так, чтобы ее руки находились как можно дальше от его тела. Но в этом занятии она не очень преуспела, потому что Райли всегда носил настолько обтягивающие джинсы, насколько позволяли приличия. Брин при всем желании не могла бы сделать вид, что не заметила твердого бугра под ширинкой или не чувствовала, как касается его пальцами.

Наконец «молния» была расстегнута до конца. Просунув руки под пояс джинсов, Брин спустила их с его крепких мускулистых бедер. Затем она опустилась перед ним на колени и спустила джинсы до конца, и Райли переступил через них.

— В трусах я тоже обычно не сплю, — хрипло сказал он.

Все еще сидя на полу, Брин запрокинула голову и, скользнув взглядом по его телу, посмотрела в глаза. Его образ, образ настоящего мужчины, казалось, покачивался перед ней как эротический мираж. Брин ни о чем так не мечтала в эту минуту, как положить голову на его сильные бедра, обнять его, поцеловать солоноватую кожу в темных волосках, изведать вкус...

Спохватившись, что ее мысли приняли слишком опасное направление, Брин поспешно встала.

— Что ж, на этот раз придется потерпеть.

Она буквально повалила его на кровать. Как только голова Райли коснулась подушки, Брин тут же накрыла его простыней и одеялом, словно ей было невыносимо смотреть на его почти обнаженное тело даже лишнюю секунду. И вовсе не от отвращения.

Как трусливый солдат, бегущий с поля боя, она сбежала в ванную и захлопнула за собой дверь. Там Брин разделась — уже во второй раз за эту ночь — и натянула хлопковые трикотажные трусы и футболку. Ей нравилось спать в них: и то и другое облегало тело как вторая кожа и в то же время не стесняло движений. Сверху она накинула старый халат. Брин не забыла, как Райли однажды заметил, что этот халат способен остудить любовный пыл мужчины с гораздо большим успехом, чем пресловутая головная боль.

Выключив свет, Брин вернулась в спальню.

— Тебе что-нибудь нужно?

Райли лежал, сдвинув одеяло до пояса, подложив здоровую руку под голову. Больная рука лежала на бедре.

— Только немножко нежности и заботы. Я бы хотел продолжить наш разговор о детях. Знаешь, Брин, живя порознь, как мы сейчас, завести детей чертовски трудно... Что ты делаешь?

— Достаю постельное белье, — ответила Брин, роясь в стенном шкафу.

— Зачем?

— Чтобы постелить на кушетке в гостиной, где я буду спать.

Райли резко сел в кровати. Он был явно раздражен.

— Ради всего святого, Брин...

— Нет, ради моего и твоего блага. Мы не можем позволить себе спать в одной постели — это еще больше осложнит наши отношения. Надеюсь, ты не на это рассчитывал, когда просился ко мне переночевать? — Его хмурая гримаса не оставила у Брин ни малейших сомнений в том, что именно это и было у него на уме. — Спокойной ночи, Райли. Увидимся утром.

И она выплыла из спальни с истинно королевским достоинством, волоча за собой плед, как шлейф. У нее за спиной Райли изощренно выругался, но Брин только улыбнулась.

Однако чуть позже она была уже не так уверена в том, что приняла правильное решение. Хотя кушетка была достаточно просторной и не уступала в удобстве кровати, Брин никак не удавалось заснуть. Ворочаясь с боку на бок, она на чем свет стоит кляла Райли за то, что тот разбередил воспоминания об их брачной ночи.

Эта ночь была прекрасной, как волшебная сказка. Романтичной и сексуальной. Лежа на диване без сна, Брин невольно уносилась мыслями в прошлое...

— Ну, вот и все, — мягко сказал он.

Атласные простыни цвета слоновой кости так и манили прилечь. Для большего уюта в спальне пылал камин, его мерцающий свет отбрасывал на стены пляшущие отблески и отражался огоньками в глазах.

— Не хочешь опробовать ванну?

— Может быть, после.

— После? — Райли многозначительно усмехнулся, вскинув брови.

Щеки Брин залились румянцем.

— Позже, — поправилась она.

— Означает ли это, что ты, так же как и я, хочешь побыстрее лечь в постель?

— Да, если можно, — вежливо ответила Брин. — Между прочим, скоро уже рассветет. — Она положила руку на грудь Райли поверх рубашки. — Если мы не поторопимся, у нас не будет брачной ночи, а брачное утро — это уже совсем не то.

— Верно, такого мы допустить никак не можем, правда? — Райли положил руки ей на талию и потерся носом о шею под подбородком. — Может, хочешь, чтобы я на несколько минут оставил тебя одну?

— Это совсем необязательно, — выдохнула Брин ему в ухо.

— Значит, ты разрешаешь мне тебя раздеть? — Райли подождал ответа и, не дождавшись, поднял голову и всмотрелся в лицо Брин.

Ее глаза затуманились от желания, влажные губы призывно приоткрылись. Не говоря ни слова, она кивнула и сбросила туфли. Сразу потеряв несколько дюймов роста, Брин стала казаться ему еще более женственной и желанной.

На Брин было белое платье из жаккардового шелка. По одному плечу шла застежка из множества маленьких перламутровых пуговиц, которые Райли ловко расстегнул. Подняв ее левую руку, он расстегнул «молнию» на боку. Платье плавно соскользнуло вниз по ее телу, и Брин осталась в шелковой комбинации цвета шампанского. У Райли перехватило дыхание. Эластичные кружевные чашечки плотно облегали упругие груди, делая бюстгальтер ненужным.

Подсунув большие пальцы под атласные лямки, он спустил их с ее плеч.

— Прямо не знаю, что делать: смотреть на тебя или целовать, — прошептал Райли.

— Может, лучше и то и другое?

Поцелуй ошеломил их обоих. С трудом оторвавшись от жарких губ, Райли отстранился и неторопливо окинул Брин взглядом. Потом так же неторопливо спустил комбинацию до талии. Брин затаила дыхание. Райли долго не мог отвести от нее глаз, со страстью и нежностью он обхватил ее груди руками, склонился над ними и стал ласкать их губами и языком. Его губы и язык действовали настойчиво и умело.

— О Райли!

Задыхаясь от наслаждения, Брин обхватила руками его голову.

Райли наклонился еще ниже и поцеловал ее в живот, а потом опустился на колени и прижался лицом к ее нежной коже. Тем временем руки его неторопливо освободили ее от комбинации. Брин осталась в белых чулках, белом кружевном поясе и таких же белых кружевных трусиках. Райли впился в нее взглядом, в котором смешались восхищение и нетерпение.

Он медленно снял с нее чулки, поглаживая ладонями икры и любуясь их безупречной формой. Затем легонько провел пальцами от бедер до щиколоток. Брин задрожала и издала какой-то невнятный звук, похожий на мяуканье. На губах Райли заиграла довольная усмешка, полная мужского превосходства.

Прозрачные кружевные трусики почти ничего не скрывали. Несколько мгновений Райли жадно пожирал ее взглядом, но, когда он снял с нее эту последнюю деталь одежды, ему удалось обуздать свою страсть, и он любовался ее наготой с благоговейным выражением.

Он обхватил ладонями упругие ягодицы, прижимая ее к себе, и стал покрывать легкими, как перышко, поцелуями живот, оставляя на нем пылающую влажную дорожку. Наконец его губы спустились к темному облачку волос, потом еще ниже, и он выразил свое восхищение кончиком языка.

С губ Брин сорвался тихий стон, у нее подогнулись колени, и она бы, наверное, упала, если бы Райли не подхватил ее на руки. Он отнес Брин на кровать и уложил на шелковые простыни. Когда Брин открыла глаза, Райли был уже полностью обнажен. Он опустился на нее, и Брин вытянула руки, привлекая его к себе. Их губы снова слились в поцелуе, и ее тело выгнулось ему навстречу.

Пальцы Райли любовно поглаживали увлажнившиеся лепестки, его ласки заставили Брин беспокойно задвигаться под ним, а потом она безо всякого стеснения обхватила его ногами. Цветок ее женственности расцвел и жаждал принять в себя его плоть. И он вошел в нее — горячий, твердый, настойчивый, — соединяя их тела воедино.

Райли вдруг удивленно поднял голову и попытался отстраниться, но Брин не дала ему этого сделать, еще крепче обхватив его ногами.

— Я люблю тебя, Райли, — прошептала она. Голова Брин была прижата к его груди, и губы касались его плоского соска. — Я люблю тебя.

Брин не сразу достигла вершины наслаждения, но Райли терпеливо вел ее все выше и выше. Когда все закончилось, он так и остался в ней, не желая покидать теплую уютную обитель. Сквозь занавески начали пробиваться первые рассветные лучи солнца, окрашивая в розоватые тона их поблескивающие от пота тела.

— Любовь моя, моя сладкая невеста, — прошептал Райли. В его голосе слышались благоговение и бесконечная любовь. Он поцеловал ее ухо, шею, губы, грудь. — Я люблю тебя, Брин.

— Я люблю тебя, Джон.

Райли приподнял голову и заглянул в аквамариновые глаза, уже подернутые сонной пеленой.

— А ты знаешь, это первый раз, когда ты назвала меня по имени. Уверена, что подцепила того, кого нужно?

Брин сонно улыбнулась и снова притянула его голову к своей груди.

— Я подцепила того, кого нужно, Джон. Джон, Джон...

Брин заворочалась на диване. Сон упорно не шел к ней. Вдруг на лестнице послышался какой-то шум. Она села на кровати и выкрикнула имя, которое уже бог знает сколько минут, а может часов, отдавалось эхом в закоулках ее памяти.

— Джон!

Глава 6

Брин включила свет. Райли, на ощупь спускавшийся по лестнице в полной темноте, остановился и зажмурился, на мгновение ослепленный.

— Что ты сказала?

— Я? Когда? Что ты здесь делаешь? Почему встал с постели?

Думая, что ему нужна помощь, Брин откинула плед и бросилась к лестнице.

— Ты звала меня по имени.

— Неужели?

— Да. Ты называла меня Джоном, только когда мы занимались любовью, больше никогда.

— Наверное, мне приснился какой-то сон.

— Да уж, сон, должно быть, тот еще.

Райли понимающе улыбнулся, обволакивая ее медленным и сладким, как теплый мед, взглядом. Брин ощутила легкое покалывание во всем теле, и ее это встревожило.

— Ты так и не ответил, зачем встал с постели.

— Ты не спрашивала.

— Спрашивала.

— Правда? Хм. Должно быть, когда я услышал, как ты зовешь меня по имени, меня это так потрясло, что я вскочил с кровати.

Он спустился ниже и остановился на последней ступеньке. Только тогда Брин в полной мере осознала, что они оба почти совсем раздеты. Райли был в том, в чем она его оставила, уходя из спальни, — в одних трусах... коротких трусах, сидевших низко на бедрах. Ей нравились его узкие бедра, и она любила это местечко на его теле — на один-два дюйма ниже пупка, — где начинала разворачиваться полоса шелковистых волос. Он любил, когда она целовала его в это место, любил, когда...

Взгляд Брин поспешно метнулся к лицу Райли и наткнулся на его насмешливую улыбку. Брин стояла перед ним в узеньких трусиках-бикини и футболке, которая, обтягивая тело, практически ничего не скрывала. Уродливый халат она в спешке забыла накинуть, и он остался где-то возле кушетки. Чтобы как-то избавиться от неловкости, Брин скрестила руки на груди.

— У тебя потрясающие ноги, — хрипло прошептал Райли.

Много месяцев назад, когда они еще жили как муж и жена, ни один из них не проявлял ни малейших признаков скромности. Даже нагота никогда не вызывала у них ощущения неловкости. Но сейчас, когда их окружала ночная тишина, а между ними витал в воздухе призрак развода, когда Райли смотрел на нее своими пронзительными голубыми глазами, Брин, как никогда прежде, вдруг почувствовала себя обнаженной, выставленной напоказ. Она чувствовала себя уязвимой.

Любой маленький зверек, даже самый слабый, когда ему некуда бежать, готов наброситься на хищника. Брин в этой ситуации могла воспользоваться только одним оружием — своей враждебностью.

— И ты спустился вниз, поднял меня с постели только для того, чтобы сказать это?

— Нет, но уж коль скоро я здесь... — Райли пожал плечами. — Действие анестезии кончилось.

Ее враждебность сразу прошла и сменилась сочувствием.

— Сильно болит? — с участием спросила она.

— Адски.

— Врач сказал, что так и должно быть, когда кончится действие уколов. Он дал мне обезболивающие пилюли для тебя... пойду принесу, они остались на кухне, в моей сумочке.

Брин направилась было в кухню, но Райли остановил ее, схватив за руку.

— Мне не нужны пилюли.

— Но если рука болит...

— Лучше я глотну бренди, оно притупит боль, но не свалит меня с ног. Выпьешь со мной?

Все еще сжимая запястье Брин, Райли потянул ее через комнату к бару. Она кротко последовала за ним. Поздний час придавал всему происходящему какой-то сюрреалистический оттенок. Неужели они действительно расхаживают среди ночи по этой экстравагантно декорированной гостиной вдвоем, босые и практически раздетые? Это казалось невероятным, но тем не менее все так и было.

Райли посадил Брин на табурет, а сам обошел вокруг стойки бара. Недолгие поиски увенчались успехом, он обнаружил даже не один, а два сорта бренди. Выбрав более дорогую марку, плеснул себе в стакан щедрую порцию.

— Мне не надо, — сказала Брин, зацепившись ступнями за нижний обод табурета.

— Может, налить тебе ликера? Я тут нашел бутылку «Бейлиз», помнится, ты его любишь.

— Ничего не нужно.

— Тогда за твое здоровье.

Обжигающая жидкость согрела горло, желудок, по груди и животу разлилось приятное тепло. Райли закрыл глаза. Лицо у него осунулось, кожа вокруг плотно сжатых губ побелела.

Брин осторожно тронула забинтованную руку:

— Что, очень сильно болит, да?

— Все нормально, — бросил Райли. В его голосе прозвучали нотки чисто мужского пренебрежения к боли, которое всегда сводит женщин с ума.

— Почему ты не хочешь признаться, что тебе больно?

— А зачем скулить?

— Затем, что человек, которому плохо, вправе рассчитывать на сочувствие. Это нормально и вполне естественно.

— К женщинам это тоже относится?

— Конечно.

Райли рассмеялся.

— Не понимаю, что тебя так развеселило?

— Теперь я понял, почему, когда тебе бывало плохо в некоторые дни, ты всегда ложилась в постель.

— Да, это очень больно, — сказала Брин, оправдываясь. — Посмотрела бы я на тебя, если бы тебе пришлось терпеть такое хоть один день в жизни.

Райли потрепал ее по щеке.

— Я знаю, что это больно. — Он погладил большим пальцем ее нижнюю губу. — Но, кажется, мы нашли против этого отличное лекарство, не так ли?

Брин судорожно сглотнула и опустила глаза. Она беспокойно заерзала на табурете.

— И наш метод помогал в сто раз лучше любой таблетки, — добавил Райли охрипшим голосом.

— Не помню.

— Помнишь, помнишь.

— Откуда ты знаешь, что я помню, а что нет? — взвилась Брин.

Взгляд Райли скользнул по ее шее и остановился на груди, обтянутой футболкой. Брин проследила направление его взгляда, но могла бы и не делать этого. Она и так знала, что Райли имел в виду: ее выдавали напрягшиеся соски, бесстыдно выступающие сквозь тонкую ткань.

Она слезла с табурета и быстро сказала:

— Забирай свое бренди и иди наверх, а я отправляюсь спать.

Брин вернулась к кушетке и принялась демонстративно взбивать подушку. В этом не было необходимости, но должна же она была хоть чем-то заняться, чтобы не смотреть на Райли и не встречаться с его понимающим взглядом.

Она улеглась и натянула на себя плед до самого подбородка, потом повернулась на бок и сделала вид, что спит. Пружины кушетки прогнулись под весом Райли: он присел в ногах у Брин. Брин не открыла глаза, тогда он положил ее ноги себе на колени. Глубоко вздохнув, она перевернулась на спину и посмотрела на Райли.

— Ты же сказал, что возьмешь бренди наверх.

— Нет, это ты сказала, чтобы я взял его и уходил наверх. Похоже, сегодня тебе ужасно трудно запомнить, кто что говорил. Как ты думаешь, может, это происходит потому, что тебя смущает мое присутствие?

Брин фыркнула и прикрыла глаза с наигранно скучающим видом.

— Ну хорошо, оставайся, если хочешь, мне все равно. Только не мешай мне спать и сиди тихо. — Она глубоко вздохнула и снова закрыла глаза, но через секунду опять открыла их и резко села на диване. — Прекрати сейчас же!

— У тебя всегда были очень отзывчивые ступни.

Райли сунул здоровую руку под плед и безошибочно нашел самое чувствительное место на ее стопе, у основания большого пальца. Простое прикосновение, легчайшее поглаживание, не больше, всегда действовали на Брин подобно электрическому разряду.

— Похоже, ты не намерен дать мне заснуть, не так ли? — сердито спросила она.

— Как ты можешь спать, когда я страдаю?

— Что, бренди не помогает?

— Пока нет. — Райли поднял стакан. Он не отпил еще и третьей части.

Брин устало вздохнула:

— Ну хорошо, я посижу с тобой, как с маленьким. Но учти, если ты напьешься и, вместо того чтобы успокоиться, начнешь дебоширить, я отошлю тебя домой. Я же знаю, ты умеешь водить машину левой рукой.

— Да, ты должна это помнить, — сказал Райли с ленивой усмешкой.

Брин действительно помнила, как он, бывало, вел машину левой рукой и чем тем временем была занята правая. Ее бросило в жар. Ну кто ее дергал за язык, почему ее так и тянет вспомнить прошлое?! Как будто мало того, что Райли то и дело напоминает о нем не слишком деликатными намеками.

— Если ты не прекратишь эти непристойные инсинуации, я отправлю тебя наверх.

— В нашу первую брачную ночь я очень удивился, обнаружив, что ты девственница.

— Райли! Ты разве не слышал, что я только что сказала?

— Это никакая не инсинуация, а простая констатация факта. Я был удивлен.

— Почему?

— В наше время на свете осталось не так уж много девственниц твоего возраста.

— Моего возраста? Тебя послушать, так я просто древняя старуха. Доисторическое ископаемое.

— Сколько тебе тогда было лет? Двадцать пять? Признайся, Брин, ты сама-то много встречала двадцатипятилетних девственниц?

— Может, их следовало собрать всех вместе и поместить в музей?

— Ты так говоришь, как будто обиделась. Я же не имел в виду ничего плохого, просто сказал, что удивился. Я не говорил, что был разочарован. — Райли лениво погладил большим пальцем высокий подъем. — Если уж на то пошло, меня это очень обрадовало, — мягко добавил он. — Если бы мне пришлось думать да гадать, кто был с тобой до меня, я бы, наверное, сошел с ума. Мне была невыносима мысль о том, что ты занималась любовью с другим мужчиной.

Райли не переставая поглаживал ее ногу, и от этой ласки Брин впала в некое подобие транса. Ей вспомнилось, как он не раз выполнял тот же самый ритуал языком, и тогда ее тело размягчалось, как тающее масло, а кровь вскипала в венах, превращаясь в жидкий огонь желания. Сознание того, что Райли по-прежнему имеет над ней магическую власть, вызвало в ее душе протест, и Брин выпалила первое возражение, которое пришло в голову:

— Есть и другие способы заниматься любовью.

Рука Райли замерла. Брин почувствовала, как его напряжение передалось пальцам и они крепче сомкнулись вокруг ее ступни. Темные брови Райли сурово сошлись на переносице.

— И как прикажешь тебя понимать?

Брин уже от всей души жалела, что открыла рот. Прежде чем делать это опрометчивое заявление, нужно было просчитать реакцию Райли. Но отступать некуда, сказанного не воротишь.

— А так. Я никогда не говорила, что до тебя ни с кем не занималась любовью.

— Ты хочешь сказать, что гуляла напропалую, но никогда не доходила до конца?

Брин с напускной беспечностью пожала плечами.

— С кем?

— Ах, Райли, оставь, какое это имеет значение?

— Я тебе объясню какое, — прорычал он. — Для меня, черт побери, это имеет огромное значение!

— Но почему? Тем более сейчас? Ведь, когда мы были женаты, тебя это не волновало.

— Когда мы были женаты, ты не тыкала мне в нос своими предыдущими любовниками.

— Я и сейчас не...

— Говори, с кем ты занималась любовью! Со своими приятелями из колледжа?

«Нет, он просто невыносим!» — подумала Брин. Своим непрошибаемым упрямством Райли добился только того, что раздул тлеющие угольки ее гнева в огромный костер.

— Ну конечно, ты же знаешь, что я училась в Беркли.

— Ну да, конечно. Это все объясняет. — Глаза Райли сузились в две голубые щелочки. — В старших классах?

Брин небрежно тряхнула головой:

— Так, чуть-чуть.

— В средней школе? — В ответ Брин только бросила на него сердитый взгляд и с вызовом вздернула подбородок. — Бог мой! — прошептал Райли. Его глаза жадно оглядывали все ее тело, словно он увидел ее впервые. — И ты проходила с ними весь тот путь, что и со мной, до того, как мы поженились? Ты дразнила их до тех пор, пока они едва не сходили с ума? Скажи-ка, как далеко ты позволяла зайти этим жалким ублюдкам?

— Райли, это просто нелепо.

— Что ты им позволяла? — закричал он. — Ты разрешала им смотреть на твои груди? Прикасаться к ним?

— Я не собираюсь...

— Целовать их? А бедра?

— Райли...

— Эти ублюдки целовали твои бедра? А то, что между ними?

— Прекрати сейчас же! Я больше не желаю это выслушивать!

Брин попыталась освободить ногу, но, похоже, здоровая левая рука Райли обрела силу обеих рук. Он сжал ее щиколотку железной хваткой.

— Нет уж, ты будешь меня слушать! Ты выслушаешь все, что я скажу. Раз уж ты сама завела этот разговор, я хочу исчерпать тему до конца.

— Темы просто не существует. Других мужчин не было.

— Ты ласкала их в ответ? Ты любила их руками, ртом? Как они занимались с тобой любовью?

— Никак! Никаких других мужчин не было!

Ее слова наконец пробились сквозь пелену порожденного ревностью гнева, затуманившего его сознание.

Райли тяжело дышал, его грудь часто вздымалась. Брин видела, как он пытается взять себя в руки, но тиски, в которых оказалась ее щиколотка, по-прежнему не разжимались.

— Кто был твоим первым любовником? Кто, говори?

— Первым был ты. — Эти три слова Брин процедила сквозь зубы. Все ее тело дрожало от унижения и бессильной ярости.

Несколько бесконечных мгновений они молча напряженно смотрели в глаза друг другу. Потом Брин откинулась на подушку и устало прикрыла глаза рукой.

— Ну что, доволен? Ты это хотел услышать?

— Ты никогда...

— Нет, Райли, никогда. — Она опустила руку, и оба удивились: оказалось, что в глазах у нее стоят слезы. — Ты что, сам не знал? Неужели это было не понятно? Или у тебя такое болезненное самолюбие, что мне нужно расписывать все по буквам?

Райли положил раненую руку ей на живот и легонько погладил едва заметным движением пальцев.

— Зачем ты сказала, что были и другие мужчины?

Брин вяло пожала плечами:

— Наверное, чтобы тебя позлить.

— Но зачем тебе нужно было меня злить?

— Не знаю. Может, из-за других женщин. — Слезы на глазах Брин высохли. Синие глаза стали глубокими и беспокойными, как воды Тихого океана во время шторма. — Из-за всех этих женщин, которые были у тебя до нашей свадьбы и после тоже. Я знаю, ты встречался с женщинами. Я же читаю газеты.

Рука Райли застыла неподвижно. Здоровой рукой он взял со стола стакан и сделал большой глоток.

— Ты тоже встречалась с мужчинами. Уинн крутится возле тебя уже несколько недель.

— Откуда ты знаешь?

— У меня свои источники.

— Про Эйбела я уже все тебе объяснила. В нашей дружбе нет ничего романтического.

— То же самое я могу сказать про женщин, которые появлялись со мной в обществе.

Брин посмотрела на него с откровенным сомнением. Райли нахмурился с оскорбленным выражением человека, убежденного в своей правоте.

— Ты же знаешь, я появлялся на этих светских приемах не сам по себе, а от имени телестудии, и, конечно, мне полагалось быть в сопровождении дамы. Эти встречи — чисто официальные, они ровным счетом ничего не значат. Между мной и моими партнершами ничего не было.

— Скажи кому-нибудь другому, я-то тебя знаю. — Брин снова села. — Я прекрасно помню случай, когда мы поехали... — Она не договорила и отмахнулась: — Ладно, не важно.

Райли криво усмехнулся:

— Нет, уж ты договаривай, договаривай. Какой случай ты вспомнила?

— Не важно, я уже забыла.

— Может, ты имела в виду ночь, когда я выступал на приеме в округе Мэрин? Когда за нами прислали лимузин?

Густой румянец, появившийся на щеках Брин, был равносилен письменному признанию...

— За что это мы удостоились такой чести?

Блестящий черный лимузин, который приехал за ними в назначенное время, был роскошен. И он был такой длины, что, казалось, заднее сиденье, где они сидели, отделяло от шофера расстояние в полквартала.

— Ты удостоилась этой чести, потому что моя жена. А я удостоился этой чести, потому что я телевизионная знаменитость.

— И притом очень скромная и застенчивая, — насмешливо добавила Брин, но в ее голосе сквозила нежность. Она подалась вперед и чмокнула Райли в щеку.

— Эй, смотри, что тут есть! — воскликнул Райли, радуясь, как мальчишка, когда обнаружил кнопку, открывающую люк в крыше. — А вот и бар, чтобы мадам не страдала от жажды. — Он продемонстрировал Брин раздвижную панель, за которой скрывался бар с изобилием напитков. — А вот и цветной телевизор, так что при желании ты можешь посмотреть очередную серию «Далласа».

Райли принялся нажимать наугад всевозможные кнопки.

— Осторожнее, не сломай что-нибудь, — предупредила Брин. — Ремонт этой роскоши нам не по карману.

— Не забивай свою хорошенькую головку финансовыми проблемами, мы можем себе это позволить, — заявил Райли снисходительно-высокомерным тоном, который, он точно знал, всегда раздражал Брин. Дождавшись ее свирепого взгляда, он усмехнулся и продолжил: — Мой агент только что обговорил условия нового контракта. Сумма, которую они собираются мне платить, просто неприлично велика.

— Да уж, не сомневаюсь, — сухо заметила Брин.

— К тому же мне стало известно из надежных источников, что мой продюсер получит большую прибавку к жалованью.

— Кто тебе сказал?

— Моя жена. Она на короткой ноге с моим продюсером.

— Только не забывай, что одно с другим не связано. Твоему продюсеру обещали прибавку за то, что она блестяще руководит передачей «Утро с Джоном Райли» и благодаря ее усилиям рейтинг ток-шоу намного повысился.

— А какую награду она получит за то, что блестяще руководит мистером Райли? — проворкотал Райли в самое ухо Брин.

— М-м-м... полагаю, самого Райли.

Брин замурлыкала, как кошка. Райли склонился к ее губам, и она обняла его за шею.

— Я уже говорил тебе, что сегодня вечером ты выглядишь ужасно аппетитно? Что тебе очень идет эта новая блузка?

— Отвечаю по порядку. Нет. Да. — Она смаковала вкус его губ. — Вы и сами отлично выглядите, мистер Райли, и на вкус хороши. И смокинг вам очень идет, а я никогда не могла устоять перед мужчинами в смокингах, они меня просто с ума сводят.

— Какая жалость, что ты не сказала об этом раньше. — Разговор был прерван долгим поцелуем. — Знаешь, что я только что понял?

— Нет. Что?

— Что я тебя целый день не видел.

— Неправда, ты видел меня несколько часов на работе.

— Так то работа, это не считается. А как только мы вернулись домой, ты стала готовиться к сегодняшнему вечеру, а меня отправила в патио высаживать цветочную рассаду.

— Ты что, соскучился по мне?

— Я соскучился вот по этому. — Райли еще крепче обнял Брин и продвинул язык глубоко в ее рот.

Когда они наконец оторвались друг от друга, чтобы глотнуть воздуха, Брин прошептала:

— Я польщена. Мы женаты уже десять месяцев, а ты все еще мной не пресытился.

— Это точно, не устал, — прошептал Райли, касаясь губами ее шеи. — И если ты опустишь руку на несколько дюймов пониже, сможешь сама убедиться, насколько мы тобой не пресытились.

Брин хихикнула.

— Райли! — воскликнула она с наигранным негодованием.

— Прости. Насколько я тобой не насытился.

— Тише! Водитель услышит.

Райли повернулся к панели управления и нашел кнопку, поднимающую перегородку, отделяющую их от водителя.

— Ну вот, я обо всем позаботился. Тебе когда-нибудь приходилось заниматься любовью в лимузине?

— Нет, и я... а-ах... дорогой... Райли, веди себя прилично! Шофер... м-м-м.

Не думая, что делает, Брин сбросила босоножки на высоком каблуке и обтянутой тонким чулком ступней погладила его икры. Райли усадил ее в угол мягкого, обитого бархатом сиденья, и Брин обвила руками его шею.

— Нет, мне положительно нравится эта блузка. — Блузка была черная, из полупрозрачной органзы, сквозь которую просвечивало черное кружевное боди. Пуговицы с искусственными бриллиантами охотно поддавались его ловким пальцам. — Мне нравится, как она шуршит. Ты когда-нибудь замечала, какой это сексуальный звук — шорох одежды?

— Райли, нам правда не следует... — Протест Брин прозвучал не очень убедительно, потому что руки Райли уже сжимали, мяли и поглаживали ее груди. Искусные пальцы быстро довели ее соски до состояния болезненного возбуждения, а потом он склонил голову и взял один напрягшийся пик в рот. Райли теребил языком нежный бутон, чертил вокруг него невидимые спирали, своими ласками доводя Брин до грани помешательства. Дрожа от нетерпения ощутить под пальцами его обнаженную кожу, коснуться волос на груди, она на ощупь стала расстегивать непослушными пальцами его рубашку, наконец расстегнула и с наслаждением положила ладони на грудь мужа.

Брин надела на официальный прием черную муаровую юбку. Свободной рукой Райли нырнул под плотный шелк. Ткань соблазнительно зашуршала. Рука скользнула вверх, добралась до края чулка и погладила обнаженную кожу над ним. Кожа на бедрах Брин была шелковистой и нежной, и, поглаживая ее, Райли сам получал не меньшее наслаждение, чем дарил Брин.

Потом его пальцы прокрались еще выше, к атласному поясу, и погладили теплую кожу над ним. Когда рука Райли скользнула в трусики и накрыла средоточие ее женственности, оба одновременно охнули.

— О, Джон, это... о, да...

— Ты такая сладкая. И влажная. Мне нравится касаться тебя вот так... и вот так.

Его пальцы ощупывали, исследовали, поглаживали... Восхитительно. Брин запрокинула голову, вжимаясь ею в бархатную обивку, и прикусила губу, чтобы экстаз не прорвался наружу криком.

Реакция Брин воспламенила Райли, он отдернул руку и стал лихорадочно расстегивать брюки. Их страстное соитие было стремительным. Оба понимали, что совершают нечто крайне неприличное, и эта мысль возбуждала обоих до неистовства. Риск быть в любую минуту обнаруженными, опасность испортить парадную одежду, смятую и зажатую между их напряженными телами, — все это только подогревало их возбуждение. Райли обхватил упругие ягодицы Брин и рывком посадил ее на себя. Ударяя и вращая бедрами, он задвигался в неистовом ритме, входя в нее глубокими сильными толчками.

Разрядка наступила быстро, подобная мощному беззвучному взрыву, одновременно сотрясшему их тела. Райли с низким грудным рыком мужского удовлетворения уткнулся лицом в ее шею, обдавая разгоряченную кожу обжигающим дыханием. Брин с удовлетворенным вздохом бессильно уронила руки.

И так же одновременно оба расхохотались.

— Господи, Райли, что мы натворили? Быстрее сними меня, и я попробую привести все в порядок.

Райли поднял голову и выглянул в окно — к счастью, окна в лимузине были затемнены.

— Дорогая, тебе лучше поторопиться. Боюсь, мы скоро приедем. У нас в запасе минуты три, не больше.

Брин взвизгнула:

— Не может быть!

Привести ее одежду в порядок удалось довольно быстро, но Брин никак не могла найти одну босоножку. Только встав на четвереньки и пошарив под сиденьем, она наконец отыскала пропажу.

— Проклятие, Брин, я потерял запонку. — В голосе Райли слышалась паника. — О, вот она... нет, это какая-то железяка.

— Ой! Что за чертовщина... вот она, Райли. Я только что нашла твою запонку своей пяткой. Боюсь, как бы она не продырявила мне чулок.

Райли вставил запонку на место, заправил рубашку в брюки и поправил пояс.

— Не забудь застегнуть «молнию» на брюках.

— Спасибо за напоминание.

У Райли помялась бабочка, и Брин расправила ее, пожертвовав частью времени, которое ей требовалось, чтобы привести в порядок волосы. Расчесываться было уже некогда, она наскоро поправила декоративный гребень и достала пудреницу, чтобы посмотреться в зеркальце. С макияжем, на который она потратила дома уйму времени и стараний, дела обстояли куда хуже.

Лимузин подъезжал к зданию элитного загородного клуба. Посмотрев в окно, Брин увидела, что под навесом их прибытия дожидается небольшая группа встречающих. Лимузин плавно остановился.

— Райли, как я выгляжу? — с тревогой спросила Брин.

— Так, как будто только что занималась любовью.

— Райли!

— А что, ты же сама спросила. — Он рассмеялся и ободряюще пожал ей руку. — Взгляни на эту ситуацию иначе. Все женщины будут завидовать тебе, а все мужчины будут завидовать мне. Сомневаюсь, что многим из них по дороге сюда удалось перепихнуться.

Брин рассмеялась:

— Я люблю тебя.

— И я тебя, — серьезно сказал Райли. — Клянусь богом, я тебя люблю.

Шофер обошел вокруг лимузина и открыл заднюю дверцу. К вящему смущению встречающих, мистер и миссис Райли были застигнуты целующимися.

* * *

— Согласись, это было здорово, — тихо сказал Райли.

— А я никогда с этим и не спорила. — Брин потеребила кисточку пледа. — Ты всегда умел повеселиться. — Она посмотрела на Райли сквозь густую завесу ресниц. — Сколько раз с тех пор, как я ушла, ты так же забавлялся с другими женщинами? Давно в последний раз ездил с кем-нибудь в лимузине?

Райли осторожно снял с колен ее ноги, взял стакан и наклонился вперед, поставив локти на колени. Повертев стакан в здоровой руке, он уставился в образовавшуюся воронку янтарной жидкости.

— Когда ты ушла, я был зол как черт, — тихо начал он.

Брин вдруг пожалела о своем вопросе. «Зачем я только вынудила его рассказывать о других женщинах?» — подумала она. Брин внезапно поняла, что не желает ничего знать и его признания ей не нужны, но было уже поздно, Райли начал рассказывать:

— Ты просто взяла и ушла, не сказав ни слова. — Он повернул к ней только голову, но так неожиданно и резко, что Брин подскочила и отшатнулась от его пронзительного взгляда. — По-твоему, я не имею права злиться и обижаться? А ты поставь себя на мое место. Что, если бы я вот так же собрал вещички и смылся от тебя без единого слова объяснений, упреков, сожалений, раскаяния... просто так?

— Наверное, ты имеешь право сердиться, — тихо признала Брин.

— Совершенно верно, черт побери. Еще как имею. — Он залпом допил бренди. — Пока по почте не пришло письмо, я сходил с ума от беспокойства.

— Но я же оставила записку.

— Ах да, записку. Пять слов, не считая предлогов. Очень серьезное послание. «Не волнуйся, со мной все будет в порядке». Легко сказать «не волнуйся», когда по улицам шляются всякие извращенцы, самолеты то и дело разбиваются, а автокатастрофы случаются на каждом шагу. — С каждым словом он все больше распалялся и говорил все громче. — Когда кругом полно морей и озер, в которых можно утонуть, когда существуют пропасти, в которые можно свалиться... Я каждый день думал обо всем этом. — Райли замолчал и, чтобы успокоиться, глубоко вздохнул. Это немного подействовало. — «Не волнуйся». Клянусь, если бы в ту ночь ты попалась мне под руку, я бы тебя придушил!

Он решительно встал с дивана и принялся расхаживать по гостиной.

— Потом я получил это чертово письмо. Опять вместо внятных объяснений — приказ держаться от тебя подальше. Я был в бешенстве. Я просто кипел от ярости. В то время лучше было меня не трогать. Я не мог работать и не работал. Только когда мне позвонили со студии и поставили ультиматум: либо привести себя в порядок и продолжать работать без тебя, либо убираться к черту, — я очнулся. «С какой стати я должен позволять ей погубить мою карьеру, испортить всю жизнь?» — рассудил я и вернулся к работе. И тогда-то мне стало на все наплевать.

— Именно тогда ты и начал встречаться с другими женщинами?

— А что? Почему бы и нет? Откуда мне было знать, что ты не встречаешься с мужчинами?

Откуда мне было знать, что ты не крутила роман на стороне все время, пока мы были женаты?

Брин метнула на него уничтожающий взгляд, и Райли смягчился.

— Ну хорошо, признаю, что я никогда всерьез так не думал, но мыслишка все-таки мелькала. Поэтому я начал встречаться с женщинами. И чем они были моложе и сговорчивее, тем больше мне нравились.

Брин уронила голову на грудь. Она не расплачется. Нет, не расплачется! В конце концов, на что она рассчитывала? Ей ли не знать, насколько Райли сексуален! Можно было не сомневаться, что он постарается найти выход своей сексуальной неудовлетворенности.

— Некоторые женщины готовы на все, лишь бы мужчина захотел пригласить их еще раз, — с издевкой произнес Райли. — И даже рискуя показаться неприлично самодовольным, замечу, что мне не нужно было далеко ходить в поисках самых сговорчивых.

Брин поняла, что больше не вынесет. Она отбросила плед, встала с дивана и направилась к бару.

— Пожалуй, теперь я все-таки выпью.

— В моем распоряжении было множество женщин, Брин.

— Нисколько в этом не сомневаюсь, — бросила она через плечо. — Но избавь меня, пожалуйста, от непристойных подробностей. Я больше не хочу ничего слышать.

Брин грохнула стаканом о стойку бара и потянулась за бутылкой «Бейлиз».

— Но я ни с одной из них не спал.

Рука Брин так и замерла в воздухе, держа бутылку ликера над стаканом. Взгляд ее метнулся через комнату к Райли, сердце бешено забилось, глаза внезапно защипало от слез. Она чувствовала, что вот-вот расплачется, потому что верит ему.

— С тех пор, как мы поженились, я не спал ни с кем, кроме тебя. Да что там, я не спал с другими женщинами с того дня, когда впервые поцеловал тебя.

— Правда?

— Похоже, в том, что касается супружеских обетов, я оказался на редкость бесхитростным.

Бутылка глухо стукнулась о стойку бара, Брин чуть не выронила ее из ставших вдруг непослушными пальцев. Она стояла и словно завороженная смотрела, как Райли медленно направляется к ней. Он приблизился, взял ее за руку, мягко потянул за собой, выводя из-за стойки. Брин остановилась перед ним. Тогда он положил здоровую руку на ее плечо и мягко надавил, пока она не опустилась на высокий табурет, стоявший у нее за спиной.

Брин была рада этой опоре: слова Райли принесли ей такое неимоверное облегчение, что она боялась упасть в обморок. А еще она ослабела от любви. Конечно, Брин могла это сколько угодно отрицать, но она поняла, что будет любить Джона Райли даже на смертном одре, до последнего вздоха.

Райли раздвинул ее бедра, шагнул вперед и встал у нее между ног.

— Во времена моей беспутной молодости я воображал, что секс — это все, что нужно для счастья. Я был жаден до женщин, но одинок, понимаешь?

— Да, думаю, я тебя понимаю.

— Только когда я встретил тебя, только когда занимался с тобой любовью, я понял, что почем в этой жизни. А когда ты меня бросила, я страшно злился, но даже в таком состоянии не мог заставить себя осквернить то, что было между нами. После тебя секс с любой другой женщиной был бы просто пародией на то, чем он должен быть. — Он подвинулся ближе. — Брин, с какой стати мне может понадобиться другая женщина, если у меня была ты? Зачем мне даже смотреть на других женщин, когда я любил лучшую из них? Может, все дело в этом? Ты думала, что я тебе изменял, и поэтому ушла?

— Нет.

— Может, кто-то меня оболгал, наврал про несуществующую женщину?

— Нет.

— Тогда в чем дело, любовь моя? — Райли приблизил лицо вплотную к ее лицу, легко скользнул губами по шее, коснулся мочки уха. Брин упиралась поясницей в край стойки бара, она прогнулась в талии и откинулась назад, подставляя тело его ласкам. — Скажи, почему ты меня бросила?

Райли поцеловал ее в губы, но было заметно, что он сдерживает страсть. Он немного поиграл с ее губами, но удержался от того, о чем они оба страстно мечтали. Потом здоровой рукой он взял поочередно ее руки и положил их себе на шею, скрестив сзади. Он погладил внутреннюю сторону ее рук, наслаждаясь невольным стоном, сорвавшимся с губ Брин от его прикосновения. Руки Райли прошлись по ее подмышкам, слегка поглаживая большими пальцами, немного помедлили и двинулись дальше, большие пальцы стали потирать с боков ее груди.

— В чем проблема, Брин? В деньгах?

— Конечно, нет!

Он надавил руками сильнее, сближая груди и приподнимая их до тех пор, пока соски через тонкую ткань футболки не коснулись его груди. Брин инстинктивно обхватила его ногами. Пружинистые волоски, покрывающие ноги Райли, щекотали нежную кожу внутренней стороны ее бедер.

— В работе?

— Нет.

Их губы наконец встретились со всей обещанной страстью. Язык Райли нырнул в ее рот, и Брин обвила его своим языком. Райли сунул руку под футболку и принялся медленно задирать ее. Выше, обнажая пупок. Еще выше, обнажая верхнюю часть живота. Еще выше, приоткрывая груди. Еще выше, обнажая их до конца. Ее груди прижались к его крепкой груди.

Поцелуй стал глубже, и из груди Райли вырвался низкий стон. Он прижал к себе Брин так крепко, что уж крепче некуда, приподнимая до тех пор, пока она не встала ногами на нижний обод табурета и их глаза не оказались на одном уровне. Губы Райли были голодными, язык — ненасытным, руки — настойчивыми. Они терлись друг о друга бедрами, прижимались друг к другу в отчаянном стремлении стать еще ближе, слиться полностью. Ее женственность стремилась навстречу его мужественности, и Брин инстинктивно приподняла бедра. Брин почувствовала через ткань белья горячую твердость его возбужденной плоти. Райли просунул руку под резинку ее трусиков, требовательные пальцы обхватили ее упругие ягодицы, заставляя Брин придвинуться еще ближе. Он перестал сдерживаться и дал волю бушевавшему в нем неистовству страсти.

Но когда язык Райли коснулся ее соска, в мозгу Брин вдруг зазвенел колокольчик тревоги. Она напряглась и застыла.

Нет! Она не может — не должна! — допустить, чтобы это случилось. Если они займутся любовью, она окончательно утратит почву под ногами. Окажется, что последние семь месяцев ничего не значат. Если они сейчас займутся любовью, ей придется начинать все сначала.

Брин изо всех сил оттолкнула Райли и так резко вырвалась из его объятий, что чуть не свалилась с табурета. Встав на пол, она повернулась к Райли спиной и оперлась локтями о стойку бара.

Райли стоял сзади, уставившись в спину Брин — голую спину, потому что футболка была задрана до самой шеи. Он пытался достучаться до ее сознания и понять непостижимое.

— Значит, все дело в этом, правда? — спросил он осипшим голосом. Брин не ответила. — Ладно, теперь я все знаю. — Он взял ее за плечи и развернул к себе. Взяв пальцами за подбородок, Райли заставил ее поднять голову и встретиться с ним взглядом. — Говори, что у нас пошло неладно в постели?

Глава 7

Зазвонил телефон. Даже разряд молнии не мог бы произвести большего эффекта. Атмосфера в комнате была накалена до предела, воздух вокруг Брин и Райли чуть ли не потрескивал от напряжения.

Первой опомнилась Брин. Она одним движением одернула футболку и шагнула к телефону.

— Не прикасайся! — рявкнул Райли.

— Это мой дом и мой телефон. Я сниму трубку.

— Ты не спрячешься от меня за телефоном. Ответишь ты на этот проклятый звонок или нет, мы все равно продолжим наш разговор! И я торжественно клянусь, что, если на том конце провода окажется Эйбел Уинн, я вырву эти чертовы провода из стены!

Еще раз бросив на Райли сердитый взгляд, Брин подняла трубку.

— Не смей меня запугивать, — процедила она сквозь зубы, потом совсем другим, любезным тоном пропела в трубку: — Алло?

— Брин, вы спали?

— Уитни?

Райли разразился потоком ругательств, таких цветистых, что Брин внутренне сжалась.

— Растяпа Уит? — Он не произносил, а буквально выплевывал слова. — Отвечай, это Растяпа Уит? Я ее убью! — Он разыграл пантомиму, изображая, как душит кого-то.

— Тише!

— Что? — спросила Уитни.

— Уитни, это я не тебе.

— У вас кто-то есть? Ой, Брин, прошу прощения, я...

— Нет, со мной никого нет.

Райли со свирепой гримасой потянулся к телефону. Брин вовремя увернулась.

— На самом деле я не одна, есть тут кое-кто... О, не важно, Уитни, это долгая история. Что-нибудь случилось?

— Ну... вроде того.

— Пожалуйста, говори погромче, я тебя еле слышу, в трубке какой-то шум.

Брин повернулась спиной к Райли, который в этот момент с угрожающим видом выразительно проводил указательным пальцем поперек горла. Этот жест Брин могла бы понять, даже не работая на телевидении.

— Я звоню из аэропорта, — сообщила Уитни.

— Из аэропорта? Но сейчас четыре часа утра.

— Знаю и еще раз извиняюсь за ранний звонок.

Брин тяжело опустилась на табурет возле бара и прикрыла голову рукой с видом человека, не знающего, куда упадет следующий кирпич. Что дальше? Люди не звонят из аэропорта в четыре утра только для того, чтобы дружески потрепаться. От раннего звонка, да еще из аэропорта, жди неприятностей.

— Я летала в Нью-Йорк повидаться с подружкой, с которой мы жили в одной комнате. Домой летела трансконтинентальным рейсом, благополучно приземлилась и...

Райли тронул Брин за локоть. Она подняла голову. Райли с вопросительным выражением лица потряс перед ней бутылкой «Бейлиз». Брин замотала головой, он пожал плечами, поставил бутылку ликера на стойку и взял другую — с бренди. Налил себе щедрую порцию и одним махом осушил стакан. Наверное, крепкий напиток обжег его внутренности, потому что на лице Райли появилось немного комичное выражение боли. Он снова налил себе бренди, на этот раз меньше, всего пальца на два, и стал пить уже медленно, понемногу.

— ...и вот я не могу ее найти. — Уитни Стоун закончила рассказ, но Брин, которую отвлек Райли, пропустила самое основное.

— Что ты не можешь найти?

— Свою сумочку. Брин, вы точно в порядке? Какой-то у вас странный голос. Я вас ни от чего не отвлекаю?

Брин покосилась на Райли. Тот смотрел на нее с целеустремленной сосредоточенностью кота, следящего за пойманной мышью.

— Нет-нет, все нормально, — возразила Брин не вполне естественным тоном. — Так ты потеряла сумочку?

— Да, она пропала, и я нигде не могу ее найти.

Брин закрыла глаза и помассировала пальцами виски, в которых пульсировала боль. Она вдруг поняла, что постоянно быть для всех «старой, доброй, надежной Брин» порой довольно утомительно.

— Что происходит? — требовательно спросил Райли шепотом.

Брин прикрыла трубку рукой.

— Она потеряла сумочку.

— Брин?

— Да, Уитни, я здесь. Пытаюсь что-нибудь придумать. Ты обращалась к стюардессам?

— Да, они помогли мне поискать в самолете, когда все пассажиры вышли.

— Может, кто-то ее прихватил с собой?

— Вряд ли. Я не помню, чтобы вообще садилась с ней в самолет.

— Как ты могла сесть в самолет без сумочки?

— Могла, потому что она рас-тя-па, — подсказал Райли, постучав себя пальцем по лбу. — Голова садовая.

Брин нетерпеливо замахала на него рукой и одними губами беззвучно произнесла: «Заткнись».

— Разве твой посадочный талон лежал не в сумочке?

— Ох, Брин, не наседайте на меня, я и так чувствую себя идиоткой.

Брин тут же стало стыдно. Уитни, похоже, того и гляди расплачется, ей нужна помощь, не следовало разговаривать с ней так строго.

— Вы не могли бы за мной заехать? — спросила Уитни робко.

— Сейчас? В аэропорт? — переспросила Брин, повысив голос.

Теперь уже настал черед Райли замахать руками, и он делал это гораздо энергичнее, чем прежде Брин. Он махал перед собой обеими руками, словно сигнальщик, пытающийся предотвратить посадку самолета на занятую взлетно-посадочную полосу.

— Нет, нет и нет! — прошептал он достаточно громко, чтобы Брин услышала. — Ни в коем случае! Это отпадает!

Брин проигнорировала все его сигналы.

— Я понимаю, что прошу слишком многого, — скулила Уитни.

— А родители не могут за тобой заехать? — с надеждой спросила Брин.

— Они уехали на выходные в Кармел. Кроме того, если они узнают, что я натворила, мне здорово влетит.

— Тебе есть где остановиться? Ты могла бы... — Она прервалась и шлепнула Райли по здоровой руке, которой он потянулся к рычагу телефона. — Ты могла бы остановиться... — Между ними завязался настоящий поединок за телефонный рычаг. — Подожди минутку, Уитни. — Брин снова закрыла трубку рукой. — Послушай, Райли, если ты не оставишь в покое телефон и не займешься своим делом, я...

— Это и есть мое дело.

— Уитни позвонила не тебе, а мне.

— Если ты пригласишь ее сюда...

— Повторяю: это мой дом. И ты не имеешь права диктовать мне, что делать и чего не делать. — Еще раз смерив его уничтожающим взглядом, она вернулась к разговору: — Уитни, тебе есть где остановиться?

— Есть, у нас живет экономка, так что в дом я попаду. Но она не поедет за мной в темноте, а если бы и поехала, ни один нормальный человек не сел бы к ней в машину, она почти ничего не видит. А если я попрошу у нее денег расплатиться с таксистом, она точно расскажет обо всем родителям. Брин, вы не против?

Против? С какой стати ей возражать? Чем ей только не довелось заниматься, начиная с прошлого вечера: препираться со строптивым организатором приема, которому полагалось бы не усложнять, а облегчать ее задачу, иметь дело с бывшим мужем, которому хватило наглости неожиданно возникнуть на пороге ее дома и который чуть было не сорвал вечеринку, дипломатично избегать знаков внимания мужчины, с которым она хотела бы работать, но не желала заводить романтических отношений, срочно везти в больницу истекающего кровью мужчину, нянчиться с ним, пока ему накладывают швы на поврежденную руку, отбиваться от заигрываний того же мужчины и в то же самое время вновь столкнуться с проблемой их потерпевшего крушение брака. Что может прибавить к этому длинному списку еще одна неприятность? Все равно жизнь Брин на этом отрезке времени напоминает эпизод из «Сумеречной зоны».

— Ты где? — Стараясь не выдать своей усталости и отчаяния, Брин терпеливо выслушала объяснения Уитни и велела ей высматривать ее машину примерно через час.

Повесив трубку, Брин направилась к лестнице.

— Ты что, серьезно собралась мчаться за ней в аэропорт?

— Отстань, Райли, не допекай меня. Уитни нужна помощь.

Райли со звоном опустил стакан на стойку бара.

— Черт возьми, Брин, мне тоже нужна помощь. Тебе нужна помощь. Нашему браку нужна помощь.

Брин пошла в спальню, Райли проследовал за ней по пятам. Брин зашла в ванную и надела те же джинсы и свитер, в которых ходила после вечеринки. На них засохла кровь Райли, но Брин слишком устала, чтобы обращать на это внимание.

— Я вернусь через... что это ты делаешь?

— Как видишь, стараюсь надеть брюки, — отвечал Райли, не прерывая своего занятия. Он сидел на краю кровати и отчаянно пытался просунуть ноги в джинсы, которые держал одной здоровой рукой.

— Ты остаешься дома!

— Черта с два остаюсь! Неужели ты думаешь, что я позволю тебе ехать в аэропорт в четыре часа утра одной?

— Я не нуждаюсь в твоей защите.

— Ладно, не разыгрывай из себя феминистку, лучше рассуди здраво. Мало ли что может случиться. К примеру, у тебя может лопнуть шина.

Брин приняла воинственную позу, упершись кулаком в бедро.

— Это ты рассуди здраво. Как ты думаешь, много от тебя будет толку при замене колеса, если ты даже штаны надеть не в состоянии?

— Ладно, Брин, можешь стоять тут и спорить со мной. — Райли встал и попытался, действуя одной рукой, натянуть узкие джинсы на бедра. — Только помни, что, пока ты тратишь здесь время, Растяпа Уит стоит в аэропорту одна-одинешенька, а вокруг шныряют всякие извращенцы.

— Ты правда беспокоишься за ее безопасность?

— Нет, я беспокоюсь за извращенцев.

В его словах был определенный резон. И пока Брин обдумывала его слова, Райли умудрился надеть рубашку.

— Поможешь мне застегнуться?

Со взлохмаченными волосами и мальчишеской улыбкой, от которой в углах его рта появлялись ямочки, Райли выглядел до того неотразимым, что Брин не знала, что делать — то ли расцарапать ногтями его красивое лицо, то ли поцеловать.

— Ладно, твоя взяла, — нехотя согласилась она. — Помимо всего прочего, я боюсь оставить тебя здесь одного. Кто знает, что тебе взбредет в голову, пока меня нет. Тебя нужно держать под наблюдением каждую секунду, как трехлетнего ребенка.

Брин принялась сердито застегивать на нем рубашку, точнее яростно проталкивать пуговицы в петли, словно они чем-то провинились. Покончив с пуговицами, она развернулась и направилась к двери.

— Если ты не хочешь, чтобы я продемонстрировал все свои достоинства Уитни, застегни уж заодно и джинсы.

Брин оглянулась и опустила взгляд на его ширинку. Так и есть, расстегнута. Она непроизвольно облизнула пересохшие губы.

Райли хмыкнул:

— Я бы тоже этого хотел, Брин, но боюсь, прямо сейчас у нас нет времени.

Его шутка подействовала на Брин, как красная тряпка на быка. Она придала своему лицу строгое деловое выражение, не допускающее никаких глупостей, решительно потянулась к язычку «молнии» и резко рванула его вверх.

— Ого! Черт, Брин, поосторожнее! Этак ты меня... ой!

— Не идет.

— В чем дело? — поддразнил Райли. — Ты боишься?

Брин взорвалась:

— Нет, не боюсь! Я просто в ярости. Все было бы намного проще, если бы ты не носил такие неприлично узкие джинсы.

— Что-то не припомню, чтобы ты раньше жаловалась. Это совсем нетрудно, нужно только чуть-чуть надавить...

— Знаю, знаю. — Брин снова нервно облизала губы и тут же с вызовом взглянула в глаза Райли, словно говоря: «Попробуй-ка отпусти еще какую-нибудь непристойность». Затем она просунула руку между двумя клапанами мягкой джинсовой ткани и слегка надавливала до тех пор, пока язычок «молнии» не поддался и легко скользнул вверх.

— Ну вот, видишь, как просто? Никаких проблем.

В голосе Райли слышались насмешливые нотки, его теплое дыхание чуть шевелило волосы у нее на макушке. Брин быстро отошла от него, круто развернулась, с независимым видом вышла из спальни и стала спускаться по лестнице, не оглядываясь, чтобы посмотреть, идет ли Райли за ней. Он шел следом. К тому времени, когда Брин взялась за ручку двери черного хода, он догнал ее, спотыкаясь на ступеньках крыльца.

«Спотыкаясь?» — пронеслось у Брин в голове.

Она повернулась и пригляделась к Райли повнимательнее. Его глаза блестели неестественным блеском, на губах играла кривая и слегка глуповатая улыбка, на впалых щеках выступил румянец. Думая, что у него жар, Брин положила руку ему на лоб, но жара не было.

— В чем дело? — спросил Райли.

Брин широко раскрыла глаза, а потом прищурилась с подозрением.

— Ты пьян!

Райли неестественно выпрямился, пытаясь выглядеть трезвым.

— Ничего подобного. Просто самую малость выпил... чтобы быстрее восстановиться от потери крови. Вот столечко! — Он не очень уверенно протянул вперед здоровую руку и попытался показать большим и указательным пальцами, сколько именно выпил, но пальцы плохо слушались.

— Ох, горе ты мое!

Брин, не слишком церемонясь, затолкала его на переднее сиденье и пристегнула ремень безопасности. В дороге Райли почти сразу же откинулся на спинку и закрыл глаза.

— Господи, наверное, я рехнулась, — пробормотала себе под нос Брин. — Это же надо додуматься: ехать по улицам Сан-Франциско в четыре часа утра с пьяным мужиком в машине, чтобы спасти Растяпу Уит!

К ее удивлению, Райли хмыкнул, хотя и не открыл глаза. Он дотянулся до Брин и похлопал ее рукой по бедру.

— Ты замечательная женщина, Брин, замечательная.

Ехать и чувствовать на бедре его руку было так приятно, что Брин не стала ее стряхивать.

Брин заметила Уитни раньше, чем та заметила машину. Она посигналила, потом вышла на тротуар и замахала руками, окликая девушку по имени. Наконец Уитни тоже заметила ее и трусцой побежала к машине, придерживая на боку дорожную сумку.

— Ой, Брин, вы не представляете, как я вам благодарна. Не знаю, что бы я... это что, кровь?

— Где? А, да, кровь.

— Что случилось?

— Это долгая история. Ты не против поехать на заднем сиденье?

— Конечно, не против. — Уитни открыла заднюю дверцу, швырнула на сиденье сумку и следом забралась сама. — Брин, вы ранены? Вы попали в аварию?

— Нет, я...

— Кто это? Райли! — завопила Уитни.

Дремавший Райли, которого так внезапно разбудили, громко выругался, не разобрав со сна, что к чему, попытался встать и ударился головой о потолок.

— Проклятие! — Продолжая бормотать ругательства, он повернулся и метнул недовольный взгляд на пассажирку.

Когда он стал ощупывать шишку на голове, Уитни закричала:

— Ваша рука! Вы что, поранили руку? На ней повязка.

Райли выразительно посмотрел на Брин, словно говоря: «Это самое блестящее умозаключение, какое она способна сделать». Вслух же он сказал, обращаясь к Уитни:

— Очень тонкое наблюдение, у меня действительно на руке повязка. А по твоей милости теперь, наверное, придется забинтовать и голову.

— Прошу прощения, я не заметила, что вы там сидели. Что у вас с рукой?

— Это долгая история.

На лице Уитни появилось недоуменное выражение.

— Брин сказала то же самое.

— Я порезался битым стеклом, и пришлось наложить швы.

Райли вздохнул и снова сел прямо, не желая дальше развивать эту тему.

Уитни задумчиво хмыкнула:

— Это произошло в доме Брин?

— Да, — переглянувшись, хором ответили Брин и Райли. Потом каждый из них снова стал смотреть вперед, и на некоторое время установилось молчание.

— Когда я позвонила, вы лежали в постели? — бесцеремонно поинтересовалась Уитни.

Брин резко затормозила. Райли захохотал. Уитни радостно захлопала в ладоши.

— Так я угадала? Здорово, значит, вы снова вместе? Я так рада! Я всегда говорила, что...

— Нет, мы не снова вместе, — перебила ее Брин. Маневрируя, как водитель-самоубийца, она выехала на скоростную автостраду.

— О-о, — удрученно протянула Уитни. — Тогда почему вы лежали вместе в постели?

— Мы не лежали! — закричала Брин. Она уже начала жалеть, что не поддалась на уговоры Райли и не предоставила Уитни выбираться из передряги самостоятельно.

— Мне так показалось, — стала оправдываться девушка. — Когда я услышала в трубке какую-то возню, шепот, то прямо-таки почувствовала, что позвонила в неподходящий момент.

— Момент и правда был неподходящий, потому что мы *не лежали* в постели, — сказал Райли.

Немного помолчав, Уитни заявила:

— Ясно.

— Ничего тебе не ясно! — Брин посмотрела в зеркало заднего вида, встретилась взглядом с девушкой и с нажимом пояснила: — Мы с Райли вовсе не собираемся сойтись снова.

— А почему нет?

— Это мне и самому хотелось бы знать, — вставил Райли. Он выпрямился и посмотрел на Брин.

— Если бы вы двое преодолели свои разногласия, было бы лучше для всех, — философски заметила Уитни.

— Аминь.

— А ты помалкивай, ты пьян.

— Так он теперь пьет? — изумилась Уитни.

— Я уже проспался.

— Ты не так долго спал, и нет, он не пьет.

— Я думала, у Райли хватит твердости, чтобы не начать пить.

— Да не начал он пить!

— Брин, вы сами себе противоречите.

— Да, Брин, ты сама себе противоречишь. Ты первая сказала, что я пьян.

Брин решила, что пора возвращаться из «Сумеречной зоны». Она громко свистнула:

— Послушайте, ребята, если мы собираемся снимать это шоу на дороге, нужно отшлифовать диалоги.

По-видимому, то обстоятельство, что терпение Брин было на исходе, не смутило Уитни.

— Если вы снова будете вместе, это явно пойдет на пользу передаче Райли, — продолжала она как ни в чем не бывало. — После того что мне рассказал папа, я поняла, почему Райли хочет восстановить отношения.

Брин оглянулась.

— Что там у вас творится с шоу?

Брин продолжала поддерживать отношения с Уитни только потому, что та вскоре после ухода Брин с должности продюсера передачи «Утро с Джоном Райли» перешла на другую работу в пределах телестудии. Если бы девушка по-прежнему работала на Райли, Брин не могла бы быть ее наперсницей. Не то чтобы она не доверяла Уитни — нет, конечно. Брин вовсе не думала, что девушка после каждого их разговора станет по злому умыслу докладывать о ней Райли. Но она знала, что Уитни обожает Райли и, растаяв в лучах его обаяния, может не задумываясь продать и собственную мать.

На свой вопрос Брин получила два противоположных ответа. Райли дернулся, как будто его подстрелили, и прорычал:

— Ничего.

Уитни подалась вперед, сдвинувшись на самый край сиденья, и положила руки на спинку переднего сиденья.

— У них проблемы.

— Нет у нас никаких проблем! — возразил Райли.

Если бы взгляды могли убивать, Уитни уже была бы трупом, но она так увлеклась разговором, что не заметила взгляда Райли. Нечасто случалось, чтобы люди смотрели на нее как на источник ценной информации, и теперь, когда у Уитни появилась заинтересованная аудитория, она была полна решимости выступить и сполна насладиться вниманием слушателей.

— Что ты об этом знаешь? — воинственно набросился на нее Райли. — Ты у нас даже не работаешь. Раз уж на то пошло, что может знать о нашем шоу твой папочка? Он понятия не имеет, что мне приходится выносить, чтобы записать на пленку очередной выпуск. Они окружили меня кретинами и рассчитывают, что я с ними управлюсь.

— Вам надо учиться лучше ладить с людьми, — отважно заявила Уитни. — Вы на всех кричите, запугиваете всех до полусмерти, уж я-то знаю. А ваши продюсеры...

— Продюсеры? Во множественном числе? — вмешалась Брин.

— После вашего ухода он сменил троих.

— Все трое ни к черту не годились! — заорал Райли. — Сначала студия наняла какую-то бабенку с длиннющими серьгами до самых плеч и кольцами на каждом пальце. Наверняка какая-нибудь сатанистка, уж я всяких повидал. С ее подачи я каждый день брал интервью то у гуру, то у прорицательниц, то у ведьм.

Брин подавила смешок.

— Потом на ее место прислали одного придурка, только что получившего диплом по специальности «телевидение». Черт, да он даже не знал, как выглядит изнутри студия! Но послушаешь, как он рассуждал, можно подумать, он все знает. Он пытался объяснять инженерам и техникам с двадцатилетним стажем, как они должны делать свое дело. И кому они жаловались? Правильно. Мне. Следующая...

— Она убежала из студии в слезах, — с готовностью подсказала Уитни.

— Что случилось?

Райли открыл рот, но Уитни успела заговорить раньше:

— Я при этом не присутствовала, но, если верить тому, что говорят, Райли обошелся с ней ужасно жестоко. И по-моему, она не такая уж толстая.

Брин недоверчиво воззрилась на Райли:

— Ты назвал женщину толстухой? В глаза? Райли, как ты мог!

— Я не называл ее толстухой, — буркнул он.

— Ну, он выразился не так прямо, — согласилась Уитни, — он сказал: «Вы уж лучше сразу поставьте миноносец между мной и помощником режиссера, когда он пытается показывать мне время. Что из-за него не будет ничего видно, что из-за вас, один черт».

— В порядке извинения я послал ей две дюжины роз, — пробурчал Райли.

Он откинулся на спинку сиденья, скрестил руки на груди, ссутулил плечи и уставился прямо перед собой, как насупившийся мальчишка.

— Он ударил оператора, — доложила Уитни.

— Ударил?! — вскричала Брин. Она повернулась и уставилась на Райли. В конце концов ему пришлось повернуться и встретиться с ее обвиняющим взглядом.

— Я его не бил, — пробурчал Райли, — а только слегка толкнул.

— Ты что, совсем спятил? Что с тобой происходит? С какой стати ты кого-то бьешь или толкаешь?

Райли, похоже, не собирался отвечать, но за него ответила Уитни:

— Потому что оператор сказал, что готов на руках принести вас в постель к Райли, если это улучшит его настроение и поможет вернуть вас в передачу.

В машине повисла зловещая тишина. Уитни переводила взгляд с Райли на Брин и обратно. Она восхищалась обоими — отчасти потому, что, как ей казалось, вокруг них кипели страсти, чего так не хватало ей самой.

Ни Брин, ни Райли не шевелились. Оба смотрели прямо перед собой через ветровое стекло. Уитни сама не знала, на что рассчитывала, выдавая этот последний кусок информации, но была немного разочарована тем, что ничего драматического не произошло.

— Я знаю от папы, что на этой неделе управляющий вызвал Райли на ковер и приказал взяться за ум. Он сказал, что Райли должен срочно найти продюсера, с которым он может сработаться, и поднять рейтинг передачи на должный уровень, или пусть пеняет на себя.

Последнюю фразу можно было не расшифровывать, она могла означать только одно: закрытие программы. Профессиональную смерть Джона Райли.

Когда молчание слишком затянулось, Уитни настороженно спросила:

— Почему вы оба молчите? Райли, вы ведь на меня не сердитесь?

Райли набрал в грудь побольше воздуха и на выдохе произнес:

— Нет, Уитни, я на тебя не сержусь.

— Все-таки Брин по-прежнему ваша жена, ей следует знать, что происходит в вашей жизни. Я вас обоих ужасно люблю и хочу, чтобы вы были счастливы. Это же глупо — жить порознь!

— Я... то есть мы ценим твое участие, — быстро проговорил Райли. Он одарил Уитни мягкой улыбкой, за которую в обычных обстоятельствах Брин полюбила бы его еще больше. — Не забудь срочно сообщить в банк, что у тебя украли кредитную карточку.

— Не забуду, Райли. — В голосе Уитни слышалось благоговение.

— Тебе нужно быть внимательнее и осторожнее. Рассеянная молодая женщина легко может стать добычей какого-нибудь мерзавца. Мне страшно даже подумать, что с тобой может что-нибудь случиться.

— Правда? — прошептала Уитни. Тронутая вниманием Райли, она была на седьмом небе от счастья.

— Ну конечно. Что бы я делал без моей Растяпы Уит?

Ответная улыбка Уитни буквально лучилась счастьем.

Брин остановила машину у края тротуара перед внушительным особняком Стоунов. Ей не нужно было спрашивать дорогу: когда-то они с Райли побывали в этом доме на рождественской вечеринке, которую Стоун устраивал для сотрудников компании.

— Тебе помочь донести сумку? — спросила Брин девушку. Она старалась сохранять внешнее спокойствие и делать вид, будто рассказ Уитни не произвел на нее впечатления, но это было нелегко.

— Спасибо, я сама справлюсь. — Уитни открыла дверцу, вышла из машины и вытащила сумку. Потом наклонилась к водительскому окну и тихо спросила: — Брин, вы ведь не сердитесь на меня за то, что я высказала свое мнение, правда? Вы знаете, как я к вам отношусь, по-моему, вы просто потрясающая. Вы единственная, кто обращается со мной по-человечески, а не вытирает об меня ноги. И даже если Райли иногда на меня кричал, я знала, что в душе он хорошо ко мне относится.

— Да, конечно, я знаю, что так оно и есть. — Брин ободряюще похлопала Уитни по руке.

— Честное слово, я не хотела совать нос в ваши дела. Просто я знаю, что вы любите друг друга, и мне очень хочется, чтобы вы были вместе.

— Все не так просто, но, как сказал Райли, мы ценим твое участие.

— Ну ладно, я побежала. Спасибо, что подвезли.

— Спокойной ночи.

— Спокойной ночи.

Брин подождала, пока Уитни войдет в дом и перейдет на попечение экономки, и только после этого тронулась с места. Райли либо спал, либо притворялся, что спит. В любом случае на обратном пути они не разговаривали. Брин с трудом сдерживалась — ей хотелось кричать. Она была рассержена, нет, она была в ярости. И ей было больно. Боль унижения разрывала ее внутренности, как клюв грифа.

Когда до дома оставалось несколько кварталов, она сказала:

— Я высажу тебя возле твоего дома.

— Нашего дома, — неприязненно уточнил Райли. — Но ты этого не сделаешь, потому что моя машина осталась возле дома твоей подруги. И потом, как я уже сказал, это предрассветное путешествие не помешает нам продолжить разговор.

Всю дорогу Брин пыталась скрыть от Райли свою ярость, но как только за ними закрылась дверь кухни, она дала себе волю.

— Ах ты, мерзавец! — закричала она без предисловий. — Подумать только, я... — Слишком взбешенная, чтобы продолжать, она умолкла и заходила кругами по кухне. Под ногами хрустело битое стекло, но она не обращала на это внимания. — Теперь я понимаю, почему ты не хотел, чтобы я заехала за Уитни.

Если в крови Райли и сохранились какие-то остатки винных паров, то под действием гнева Брин они мгновенно улетучились. Он принял воинственно-высокомерную позу: руки на бедрах, одно колено согнуто, голова наклонена набок, как у бойцового петуха.

— Как прикажешь тебя понимать, черт побери? При чем тут Уитни? Я хочу знать, почему, когда я тебя целовал...

— Ты боялся, что она проболтается.

— Проболтается?

— Видел бы ты свою физиономию, когда Уитни заговорила.

— Что-о?! — Теперь рассвирепел Райли.

— С той минуты, как ты незваным и нежеланным гостем появился на моем пороге, ты мне все уши прожужжал о том, как ты обо мне соскучился, как ты меня любишь, как хочешь, чтобы я к тебе вернулась. — Брин с вызовом вздернула подбородок и посмотрела на него в упор. — Скажите-ка, мистер Райли, вы хотите, чтобы я вернулась к вам в качестве жены или в качестве продюсера?

Наверное, если бы она дала ему кулаком в солнечное сплетение, Райли и то был бы меньше ошеломлен. Он застыл с выражением глубочайшего изумления на лице.

— Так ты думаешь, я пришел из-за этого?

— Да!

— Черт, ты не права!

— Ах вот как? Неужели не права? — Брин снова заходила по кухне. Она так стиснула руки в кулаки, словно с трудом сдерживалась, чтобы не ударить по чему-нибудь, а точнее, по его красивому лицу. — Мне хочется визжать, как подумаю, какой я была дурой, как близко я подошла к тому, чтобы снова запутаться в твоей паутине!

Она остановилась напротив Райли и в гневе накинулась на него:

— Ты хочешь меня вернуть вовсе не потому, что любишь меня, а потому, что любишь себя самого. Я тебе понадобилась, чтобы спасти твою шкуру. На карту поставлена твоя бесценная карьера, и ты хочешь, чтобы я ее спасла.

Ты не столько хочешь, чтобы я вернулась в твою постель, сколько чтобы я вернулась в студию. Тебе нужно, чтобы я снова умасливала твоих капризных гостей, держала в ежовых рукавицах съемочную группу и заботилась еще о тысяче всяких мелких проблем, связанных с выпуском ежедневного ток-шоу. Как же, великая телезвезда не может обременять себя такими скучными мелочами, поэтому он согласен на одну ночь изобразить из себя кающегося грешника! Вот из-за чего был весь сыр-бор, не так ли, Райли? Я угадала? И то, что ты объявился не когда-нибудь, а именно в тот вечер, когда мне предстояло принять важное решение по поводу карьеры, тоже не простое совпадение.

— Ты ошибаешься, Брин.

Он отвергал ее обвинения так мягко, что это тревожило и сбивало с толку.

— Не думаю.

— Говорю тебе, ты не права.

— И ты думаешь, я поверю, что, если бы твои дела на студии шли прекрасно, рейтинг «Утра с

Джоном Райли» рос и твоя карьера не оказалась бы под угрозой, ты все равно пришел бы ко мне сегодня и стал умолять вернуться?

— Но это правда.

— Ой, не надо. Вот что я тебе скажу, Райли. — Брин надменно вскинула голову, тряхнув волосами. — Выбирай, чего ты хочешь: чтобы я вернулась в передачу и снова стала продюсером или чтобы я вернулась в качестве твоей жены?

— Мне нужно и то и другое. — Райли шагнул к ней и взял ее за плечи, поморщившись от боли в забинтованной руке. — Разве плохо, если ты будешь и тем и другим? Мы с тобой составляли отличную команду на студии и еще лучшую — дома. А в постели — так просто потрясающую. — Он смотрел в глаза Брин и, казалось, пронизывал ее насквозь взглядом. — И это снова возвращает нас к началу спора. Что случилось с нашим фантастическим сексом?

Брин одеревенела под его руками.

— Я не желаю об этом говорить, — напряженно сказала она.

— Ну что ж, тем хуже, потому что я желаю, и мы будем об этом говорить. В этом корень проблемы. Наши семейные проблемы начались с секса, и я не собираюсь это отрицать или делать вид, что ничего не замечал. Я хочу знать почему. Почему? Почему в постели у нас все пошло не так, как раньше? Я даже помню точно, когда впервые заметил, что что-то неладно. Это было в ночь после церемонии вручения наград в пресс-клубе.

Воспоминания причиняли мучительную боль, но Брин поняла, что Райли не намерен прекращать эту муку. Он не успокоится, пока они не поговорят и о той ночи, и обо всех последующих.

Глава 8

—О Райли! — Брин сжала под столом колено мужа, когда ведущий церемонии объявил, что пресс-клуб признал лучшей программой местного телевидения ток-шоу «Утро с Джоном Райли».

Улыбаясь, Райли поцеловал Брин, потом встал и стал пробираться между банкетными столами, которыми в этот вечер был заставлен самый большой зал отеля «Фермонт». Под всеобщие овации ему вручили вожделенную награду.

— Господин мэр, уважаемые члены жюри... — начал Райли, а потом вдруг выдохнул со смехом: — Это потрясающе!

В благодарственной речи Райли, не выделяя свою собственную роль, с подкупающей искренностью поблагодарил руководство телевизионной станции, съемочную группу, технический персонал, а более всего — продюсера.

— Детка, по-моему, все эти идеи, которые мы обсуждали с тобой в постели, отлично окупились.

Публика дружно засмеялась, все взгляды обратились к Брин. И за весь вечер это был единственный момент, когда кто-либо посмотрел на нее или хотя бы вспомнил — даже не о том, что именно она стояла за всеми новшествами шоу, а просто о ее существовании.

Райли фотографировали до тех пор, пока он не прикрыл глаза рукой, сказав:

— Вы, ребята, уже посинели.

Все, кто находился в пределах слышимости, восприняли эти слова как нечто чрезвычайно остроумное и заговорили о том, что его живой ум и способность к экспромтам — несомненно, одна из главных составляющих успеха передачи.

Хотя все, похоже, забыли, что Брин и Райли составляют одну команду, он не забыл. Он подозвал жену к себе, окликнув через весь зал.

— Господин мэр, позвольте представить вам моего продюсера и жену Брин.

Брин подала руку, но мэр, вместо того чтобы обменяться с ней рукопожатием, дружески похлопал ее по руке.

— Рад познакомиться, миссис Райли. Райли, у вас очень красивая жена.

— Спасибо, я тоже так думаю.

Райли с гордым видом собственника обнял ее за плечи. Вероятно, потому, что его позвали снова фотографироваться, он не заметил, как Брин напряглась и на лице ее застыла натянутая улыбка.

— Ох, ну и ночка! — вздохнул Райли, когда они ехали обратно. Он ослабил узел галстука и расстегнул воротничок рубашки. Сидя за рулем, он свободной рукой взял золотую статуэтку женщины. На табличке, которую золотая женщина держала в руках, были выгравированы его имя и дата вручения награды. — Хороша, правда?

— Да, красивая, — согласилась Брин.

У нее на душе остался неприятный осадок, и она ненавидела себя за это, но поделать ничего не могла. Брин чувствовала себя ничтожным, покинутым существом, до которого никому нет дела. Она даже не могла понять: в самом ли деле ее унизили или в ней говорит обостренное самолюбие? Так ли все это важно, как кажется, или ее воображение просто раздуло из мухи слона?

Райли не замечал, что она как-то странно притихла. Всю дорогу он говорил о прошедшем вечере, о тех, кто присутствовал на награждении, о других победителях, завоевавших награды в разных номинациях, о банкете, вспоминал избитые шутки ведущего.

Только когда они легли в постель, Райли, опьяненный шампанским и успехом, наконец заметил, что с Брин что-то неладно. Он придвинулся под одеялом к жене, собираясь устроить отдельный, их собственный праздник в честь своего успеха.

Брин охотно дала себя обнять, даже ответила на его поцелуй со всем пылом, на какой была способна, но, когда Райли прижал ее к себе и она положила голову ему на плечо, по щеке ее поползли предательские слезинки. Брин тихонько смахнула их, и Райли ничего не заметил.

Только когда Райли стал ласкать ее грудь, Брин отвела его руку.

— Прости, дорогой, — быстро сказала она, — боюсь, я сегодня не могу.

Райли тут же поднял голову и с участием заглянул в ее глаза.

— В чем дело, Брин? Ты заболела? Почему ты сразу не сказала? Может, тебе принести что-нибудь?

— Нет, ничего не нужно, я не больна. — Брин положила руку ему на грудь, но сразу же отдернула. — Я просто не очень хорошо себя чувствую. — Сказать, что у нее болит голова, у Брин язык не поворачивался: уж очень не хотелось прибегать к этому избитому клише.

Райли понимающе улыбнулся и положил руку на низ ее живота:

— У тебя месячные?

Брин покачала головой, сдерживая рвавшийся из груди стон удовольствия, вызванный всего лишь простым прикосновением его руки.

— Нет, я просто... ты не возражаешь, если сегодня мы не будем заниматься любовью?

— Конечно, нет. Я же не чудовище какое-нибудь. — Он нежно поцеловал жену в губы, развернул ее спиной к себе, так что ее бедра оказались напротив его бедер, а ягодицы прижались к его паху. Потом он обнял ее и прошептал, щекоча дыханием ухо: — Позволь мне только обнять тебя. Ты такая теплая, уютная, мне нравится просто обнимать тебя. — Он поцеловал ее сзади в шею. — Я люблю тебя.

— Я тоже тебя люблю.

И Брин действительно его любила, вот почему она испытывала такой горький, до металлического привкуса во рту, стыд за свои чувства.

— Профессиональная зависть?

Сидя в ногах кровати, Райли взирал на нее с искренним изумлением. Вспоминая тот вечер, ставший поворотным пунктом в истории их счастливого брака, Брин и Райли перешли из кухни сначала в гостиную, потом поднялись по лестнице и вошли в спальню, словно приближаясь к источнику их проблем.

— Ты ушла потому, что завидовала моему успеху?

— Так и знала, что ты это подумаешь.

Брин повернулась к нему спиной, подошла к туалетному столику, села и уставилась на свое отражение в зеркале. С некоторым удивлением она обнаружила, что у нее в ушах все еще блестят бриллиантовые сережки, которые она надевала на вечеринку. На фоне старого свитера, да еще и испачканного кровью, они выглядели на редкость нелепо. Вид у нее был измученный. Да, она действительно смертельно устала, и усталость эта была скорее не физического, а эмоционального свойства. В эту ночь Брин думала слишком о многом и слишком долго. Она взяла расческу и медленно провела по волосам.

— Вот почему я не хотела заводить этот разговор, Райли. Я знала, что ты спишешь все на зависть, махнешь рукой и сочтешь меня дурочкой.

— Брин, мне никогда не придет в голову считать тебя дурочкой. И вряд ли я способен махнуть рукой на крах нашего брака.

— По-моему, семь месяцев ты именно этим и занимался. — Голос Брин прозвучал чуть резче, чем ей хотелось.

Казалось, Райли готов был оспорить ее обвинение, но вместо этого он сжал губы и уронил голову на грудь.

— В одном ты права, Брин. Мне следовало прийти к тебе гораздо раньше. Я хотел это сделать, не было ни одного дня, когда бы я не сдерживал в себе желание найти тебя и притащить домой — если потребуется, за волосы. — Райли встретился с ней взглядом в зеркале. — Но сначала мне мешала злость, а потом — гордость.

— Как же, телевизионная знаменитость не может ползать в ногах у своей сбежавшей жены, умоляя ее вернуться.

— Да, что-то в этом роде.

Райли встал и принялся мерить шагами комнату. Брин заметила, что он неосознанно прижимает к себе больную руку.

— Рука сильно болит?

— Да, но сейчас это не важно.

— Послушай, почему бы тебе не выпить обезболивающие таблетки, которые дал врач?

— Потому что они притупляют мозги, а мне нужна ясная голова. Я хочу докопаться до сути. — Двумя пальцами здоровой руки он потер переносицу. — Давай внесем ясность. В ту ночь ты отказалась от секса потому, что я получил награду. Это так?

— Ты ошибаешься. — Брин отложила в сторону расческу и повернулась на вращающемся табурете, чтобы оказаться лицом к Райли. — Разве ты не видел, как я тобой гордилась?

— Тогда мне тоже так казалось.

— Так оно и было. Может быть, мне было в какой-то степени обидно, что мы не поделили награду, я считала, что тоже приложила руку к успеху передачи. Назови это как хочешь: гордостью, эгоизмом, самонадеянностью, но так мне тогда казалось.

— Брин, но я тоже так думал! Конечно, ты имела самое прямое отношение к моему успеху, и я заявил об этом с трибуны, когда получал награду. За успехом моей передачи стояла ты, твои мозги, твой труд. Неужели я не ясно выразился? Неужели дал тебе повод думать иначе?

— Нет. Но все остальные думали иначе. Фотографировали только тебя, интервью брали только у тебя, только ты...

— Ты хочешь сказать, что, если бы какой-нибудь фотограф тогда попросил тебя позировать для снимка, наш брак бы не рухнул и этого разговора бы не было?

Брин медленно сосчитала в уме до десяти.

— Прошу тебя, Райли, не надо оскорблять меня. Разумеется, не все так просто. Та ночь была лишь кульминацией. Каждый раз, когда кто-то смотрел мимо меня на тебя, я чувствовала, что словно уменьшаюсь в размерах, от меня словно откалывали кусочек.

— Брин, известность, признание публики сопутствуют моей работе, — мягко сказал Райли.

— Я знаю, и меня вовсе не задевало, что поклонники не бегают за мной и не просят автограф. В семье может быть только одна звезда, и ею был ты. Я не хотела делить с тобой славу, но превращаться в невидимку мне тоже не нравилось.

Брин встала и принялась безо всякой нужды расправлять покрывало на кровати. Она чувствовала, что должна что-то делать, двигаться, иначе просто взорвется. Кроме того, когда она смотрела на Райли, ей было очень трудно, почти невозможно высказать наболевшее на душе.

— После многих месяцев упорного труда, после того, как рейтинг «Утра с Джоном Райли» вырос и конкуренты уже не могли с ним не считаться, я была низведена до уровня миссис Райли. Не Брин Кэссиди, продюсер, а миссис Джон Райли. Бесплатное приложение к знаменитости, практически бесполезное и почти невидимое, можно добавить.

— Но ты же моя жена, Брин. Если тебе не нравится быть миссис Райли, не следовало выходить за меня замуж.

— Мне нравилось быть миссис Райли, и я хотела ею быть, но я женщина, а не только жена. Я хотела быть твоей женой и продюсером и чтобы меня признавали в обеих этих ипостасях, а не рассматривали как хорошенькую куколку, греющуюся в лучах твоей славы.

— Я никогда о тебе так не думал. Может, иногда я и поддразнивал тебя, но на самом деле я вовсе не такой дикарь. И ты слишком хорошо меня знаешь, чтобы приписывать мне патриархальные взгляды.

— Да, я знаю, что ты так не думаешь. Ты — но не все остальные.

— Вот, значит, почему ты стала такой холодной в постели? Не из-за того, что думаю я, а из-за того, что думают другие?

Никак он не может понять ее точку зрения! Брин готова была прийти в отчаяние.

— Как я могла конкурировать?

— Конкурировать? С кем? Я тебя не понимаю.

— Ты бы видел себя на публике, Райли. Тебе нравится всеобщее внимание, признание, ты купаешься в лучах славы и упиваешься известностью. И чем громче аплодисменты, тем больше они тебе нравятся.

— Ты знала все это еще до того, как мы поженились. Или мне полагается извиниться за этот мой недостаток теперь, через столько времени?

— Нет. Мне в тебе все нравится, и эта черта тоже.

— Тогда из-за чего мы воюем? Ничего не понимаю. Может, я становлюсь таким же бестолковым, как Растяпа Уит?

Брин вздохнула, думая: «Ну как объяснить ему то, что я чувствую?»

— В ту ночь, когда мы вернулись домой, ты был на седьмом небе от счастья. Ты был опьянен славой, упивался всеобщим обожанием. Наслаждение, которое ты получал от всего этого, было сродни оргазму.

— Да, я был счастлив, а как же иначе? — Теряя терпение, Райли заговорил громче обычного.

— Все правильно.

— Тогда в чем ты почувствовала угрозу для себя? — Он уже почти кричал.

— А что я могла сделать для тебя в постели, чтобы доставить такое же наслаждение?

На мгновение Райли оторопел и растерянно уставился на нее. Потом медленно опустился на кровать.

— Господи...

Он провел по лицу здоровой рукой от лба до подбородка, словно снимал с себя маску. Когда он снова посмотрел на Брин, его глаза потускнели.

— И ты думала, что секс с тобой доставит мне меньше наслаждения, чем завоевание какой-то чертовой статуэтки?

— А чем я могла его перекрыть?

Райли замотал головой, плечи его поникли.

— Знаешь, Брин, это все равно что сравнивать яблоки с апельсинами.

— Тогда я так не думала. Я казалась себе неполноценной.

— Когда ты так говоришь, я начинаю чувствовать себя этаким маниакальным эгоистом, предъявляющим к тебе невыполнимые требования.

— Прости, я не хотела. — Голос Брин стал спокойнее, выражение лица смягчилось. Она подошла ближе к тому краю кровати, где сидел Райли. — С твоим эго все в порядке, у тебя нормальное здоровое самолюбие. Это моя проблема, моя психологическая травма, не твоя.

— Это наша проблема, Брин. Почему ты ничего не рассказала мне тогда же? Почему не поделилась своими чувствами?

— Потому что я знала, что буду выглядеть, как лиса из басни «Лиса и виноград». Ты бы решил, что я просто завидую твоему успеху и известности.

— А это не так? — поддразнил Райли.

Брин тихонько рассмеялась:

— Нет. Не в том смысле, какой ты имеешь в виду. Временами меня это раздражало.

— Когда именно?

Брин чувствовала, что он искренен в своем желании докопаться до сути.

— Зрители видят тебя только в такие моменты, когда ты безупречен. Безупречно ухоженный, безупречно счастливый... безупречный во всем. Но я видела тебя всяким: и когда ты выглядел черт знает как, и когда ты только что встал с постели и еще не выпил первую чашку кофе, и когда слонялся по дому в рваных джинсах.

Я держала твою голову над раковиной, когда ты подхватил желудочный вирус и тебя рвало. Я стирала твои грязные носки.

— Но зато я сам складывал их в шкаф! — с шутливой важностью заявил Райли, подняв указательный палец. Однако глаза его не смеялись. — Я уловил твою мысль, — сказал он мягко. — Честно говоря, я никогда не смотрел на это с такой точки зрения.

— Наверное, меня раздражало, что все считают тебя безупречным, когда я знаю, что это не так. Иногда, в самые безумные моменты, мне даже казалось, что свое совершенство ты прибегаешь для других, а мне достаются только объедки.

— Брин, с тобой я был самым лучшим. — Он дотянулся здоровой рукой и пожал ей руку, потом мягко потянул вниз и усадил рядом с собой на кровать. Они сидели, касаясь друг друга плечами. — Вспомни день, когда ты впервые вышла на работу в нашу передачу. Как ты тогда не очень любезно заметила, я действительно был ужасен. У меня были мешки под глазами, я делал дрянные передачи. Я расслабился, а на телевидении это равносильно смерти. Ты отхлестала меня по щекам и привела в чувство. И если никто, включая меня, не воздал тебе должное за это, мы все виноваты.

— Думаешь, признание — это все, что мне было нужно? — Брин сама же ответила на свой вопрос: — Да, возможно. Теперь это кажется таким глупым и мелочным.

— Ты ждала от своего мужа чуткости, на что любая женщина вправе рассчитывать. А госпожа Публика — довольно глупое животное. Не вини ее за бесчувственность, пусть уж вина падет на того, на кого следует, — на меня. Мне нужно было догадаться о твоих чувствах и что-то предпринять. А я действительно оказался высокомерным эгоистичным сукиным сыном. Хорош гусь, упивался славой, в то время как ты страдала. Это не тот случай, когда неведение — благо. Я должен был приползти к тебе на коленях, благодарить за все, что ты для меня сделала. А я что? Я в ту ночь залез в постель, рассчитывая, что ты дашь мне еще больше, предоставишь себя в мое полное распоряжение, к моему же удовольствию. — Райли тронул ее волосы. — Неудивительно, что ты решила отказаться от секса.

— Я никогда и не думала от него отказываться.

— Значит, ты очень ловко притворялась.

— Райли, неужели ты не понимаешь? Я боялась, что окажусь не на уровне. Тебе поклонялись тысячи женщин, но для меня ты не был идолом. Я знала, что ты не безупречен. — Брин развела руками, как бы признавая свою беспомощность. — Я просто любила тебя. Любила, несмотря на все твое несовершенство, любила так сильно, что мне было больно. Я тебя любила и не хотела обмануть твои ожидания. И если бы я не смогла дать тебе того удовольствия, которое тебе дарили восторженные поклонницы, это означало бы мой провал.

— И перестала даже пытаться.

— Да, пожалуй.

Райли встал и начал ходить по комнате, словно искал, куда поставить свет. Брин вспомнила: обычно он вел себя так, когда пытался привести в порядок мысли. Она осталась сидеть на прежнем месте, терпеливо дожидаясь, пока Райли заговорит.

— Я не мог понять, что происходит. Сначала я думал, что просто у тебя неподходящие дни.

Райли остановился перед туалетным столиком, взял в руки расческу, которой она причесывалась несколько минут назад, и бездумно похлопал ею по ладони.

— В конце концов — а иногда до меня очень медленно доходит, и я начинаю соображать, что к чему, только когда меня жахнет по башке, — я решил, что секс тебя больше не интересует. Вообще не интересует.

— А я думала, ты даже не заметил.

Райли невесело рассмеялся:

— О, еще как заметил, только решил не подавать виду. У меня сердце ушло в пятки. Я испугался, что... ну, словом, испугался. Казалось, ответ ясен и лежит на поверхности, но я боялся его признать.

— Какой ответ?

Райли стоял перед зеркалом. Подняв глаза, он поймал в зеркале ее взгляд.

— Что я не могу удовлетворить свою жену в постели. Кажется, ты удивлена? — спросил он, видя выражение ее лица.

— Не то слово. Я ошеломлена. Как тебе могло прийти такое в голову?

Райли круто развернулся и посмотрел ей в лицо.

— Брин, когда женщина морщится от прикосновения мужчины, это, знаешь ли, довольно ясный признак того, что ей не нравится либо он сам, либо его прикосновения.

— Неужели я морщилась? — тихо спросила Брин.

— Поначалу ты явно меня не отталкивала, просто превратилась в этакую вечно торопящуюся деловитую даму, которая никогда не сбавляет темп настолько, чтобы я успел ее обнять, у которой никогда нет времени на поцелуй и которая настолько устает от своего напряженного темпа жизни, что, рухнув вечером в постель, тут же засыпает. Или делает вид, что засыпает. Все наши разговоры — если мы вообще разговаривали — стали крутиться только вокруг программы.

— В твоей интерпретации я похожа на робота.

— Ты и была роботом, который выглядел и разговаривал, как Брин, прекрасная, умная, сексуальная Брин. Только я больше тебя не понимал и поэтому растерялся. К этому новому роботу-Брин не прилагалась инструкция, и я не знал, как с ней обращаться. Что бы я ни делал, ничто не срабатывало.

Он невесело усмехнулся, бесцельно перебирая флакончики с парфюмерией, стоящие на ее туалетном столике.

— Прежний беспечный подход больше не срабатывал, потому что у тебя пропало чувство юмора. Романтика тоже не годилась, потому что я не мог даже приблизиться к тебе, между нами постоянно возникали невидимые барьеры. Как-то раз я попытался вести себя как пещерный человек — облапил тебя и положил руки на груди, но ты меня оттолкнула, словно я был каким-то заразным больным.

В глазах Брин заблестели слезы. Она опустила взгляд и заметила, что непроизвольно сжала сплетенные пальцы так сильно, что побелели суставы.

— Райли, мне хотелось, чтобы ты ко мне прикасался, я хотела заниматься с тобой любовью, но боялась рисковать.

— Ты хотя бы представляешь, что чувствует мужчина, когда ему кажется, что он не может удовлетворить жену?

— Наверное, ты чувствовал себя ужасно.

— Не то слово. Я был как в аду.

— Особенно при твоем самолюбии кинозвезды.

— Это как раз не важно. Будь я землекопом, мне было бы ничуть не легче. Я часами изводил себя вопросами: что случилось, что у меня не так? Может, я слишком страстный или, наоборот, недостаточно страстный? Может, я слишком часто хочу заниматься сексом или, наоборот, слишком редко? Может, обстановка в спальне слишком фривольная или, наоборот, недостаточно фривольная? Может, мое тело вызывает у тебя отвращение? Может, размеры малы, чтобы тебя удовлетворить?

— Ох, Райли, скажешь тоже! — Брин покачала головой и невольно рассмеялась.

— Да-да, вот что приходит мужчине в голову! — воскликнул он, словно оправдываясь. — Я мог опираться в своих суждениях только на сигналы, которые ты посылала. А в моем переводе они означали, что в постели ты не желаешь иметь со мной ничего общего.

— Но почему ты не спросил меня напрямик, что происходит?

— Думаешь, не боялся услышать, что тебя не устраивают размеры?

Впервые за много месяцев они рассмеялись вместе. Это оказалось на редкость приятно. Но, когда смех стих, Райли посерьезнел:

— Тебе не кажется, что для людей, избравших карьеру в сфере коммуникации, мы оказались не слишком коммуникабельными?

— Да, пожалуй.

— Я не поднимал этот вопрос, потому что боялся ответа, который мог услышать.

— А я не затрагивала эту тему, боясь, что ты меня высмеешь, обвинишь в зависти и мелочности. Но на самом деле причина была вовсе не в этом, клянусь тебе, — искренне сказала Брин.

— Объясни мне еще разок, почему ты ушла, я хочу быть уверен, что понял все правильно.

— Я боялась, что, оставшись с тобой, буду отступать все дальше и дальше и в конце концов превращусь не более чем в твою тень. Я боялась, что потеряю себя как личность, а потом вскоре наскучу тебе и стану ненужной. Когда я только пришла в передачу «Утро с Джоном Райли», я была нужна и передаче и тебе. Но когда я подняла передачу на первые строчки в рейтинге, ты больше не нуждался во мне ни в профессиональном плане, ни в любом другом.

— Ты ошиблась, и очень сильно.

— Может быть, но именно так я воспринимала ситуацию. А люди в основном руководствуются в своих действиях не реальными фактами, а собственной их оценкой.

Райли медленно подошел к кровати и присел на корточки перед Брин.

— И к чему же мы в результате пришли?

Брин вздохнула:

— Не знаю.

— Ты собираешься принять предложение Уинна о работе?

— Тоже не знаю. — В ее голосе появились нотки отчаяния. — Но если я его все-таки приму, то хочу, чтобы ты уяснил одну вещь: между Эйбелом и мной никогда ничего не было и не будет.

— Думаю, после того, что я сейчас рассказал, ты поймешь, почему мне казалось, что между вами могут существовать какие-то чувства.

— Их нет. Во всяком случае, с моей стороны.

— В служебных кабинетах и женских спальнях Уинн пользуется репутацией крутого парня.

— Ты тоже.

У Райли загорелись глаза.

— Правда?

— Напрашиваешься на комплимент? Можете не рассчитывать, что я стану потакать вашему непомерно раздутому самолюбию, мистер Райли.

— А ты могла бы?

Брин ответила не сразу:

— О да, определенно могла бы.

— Как, Брин?

«Должно быть, я страшно устала», — подумала Брин, почувствовав, как опасно близка к тому, чтобы расплакаться, — такое с ней случалось только в периоды сильнейшей усталости. Она погладила Райли по макушке, чуть посеребренной сединой.

— Я могла бы сказать, что с тобой не сравнится ни один мужчина, что меня никогда ни к кому так не влекло, как к тебе, причем с самой первой минуты, что за твои поцелуи жизни не жаль. — Она игриво улыбнулась и перешла на шепот: — Тело у тебя просто великолепное, иначе не скажешь, и ты уж точно не маленький!

— У-уф! Какое облегчение!

Тихо рассмеявшись, они потерлись друг о друга лбами, потом носами и остались в таком положении, вдыхая дыхание друг друга. Наконец Райли чуть наклонил голову, и их губы встретились. Их поцелуй был легким, как весенний дождик.

— Представляешь, каково мне было, когда ты меня бросила?

— Я не могла гордиться тем, как это вышло. Я сбежала, как трусиха.

— В тот день ты сказалась больной и не вышла на работу. Я несколько раз звонил домой, чтобы узнать, как ты там.

— Я не отвечала на звонки.

— И это меня чертовски перепугало. А когда я вернулся домой и обнаружил, что твои вещи исчезли, а потом прочел твою записку... черт, меня как будто грузовик переехал.

Брин зажмурила глаза, поежилась и прерывисто вздохнула.

— Прости, мне очень жаль...

— В ту ночь я был в полном ступоре. Все время спрашивал себя, что я сделал не так, строил грандиозные планы, как тебя вернуть. Но на следующий день пришло письмо, в котором ты писала, что не вернешься ни при каких обстоятельствах, и я впал в ярость.

— В чем это выражалось?

Райли поднялся с корточек и присел рядом с ней на кровать.

— Мне хотелось рвать и метать, я вышел в патио и стал выдергивать все эти растения, которые ты заставляла меня сажать.

— Ты что, они же стоят по девяносто девять долларов за штуку! — закричала Брин.

— Тогда мне было на это плевать, я крушил все подряд. А потом я жутко напился, напился до беспамятства.

— Я тоже.

— Ты?

— Ну, может, не до беспамятства, но тоже изрядно набралась.

— В своей злости я дошел до того, что почти радовался твоему уходу. «Ах ты ушла? Что ж, отлично, можешь убедиться, что мне все равно». — Он печально покачал головой. — Но жизнь стала мне не в радость, ты ушла, и мир потерял все свои краски. Все стало серым. Иногда я забывал, что произошло, и во время съемок поворачивался, чтобы поделиться с тобой мыслями о какой-то книге, или фильме, или о вкусе мороженого. Только тебя там не было, Брин, и все, что я делал, теряло для меня всякую прелесть. — Он запустил пятерню в волосы. — Я хотел вернуть тебя любой ценой, но чертова гордость не позволяла бегать за тобой. И с каждым днем прийти к тебе и умолять вернуться становилось все труднее.

— Я тоже по тебе скучала, — тихо призналась Брин. — Мне было страшно. Все вокруг меня вдруг стало незнакомым: и работа, и дом, где я живу. Но вернуться я тоже не могла. Начать с того, что я не была уверена, примешь ли ты меня обратно. А если бы и принял, какой тогда был смысл уходить? Что бы я доказала?

— А теперь? Ты доказала, что хотела, то есть что я не могу и не хочу жить без тебя?

— Мои намерения состояли не в этом. Я хотела доказать, что способна быть цельной, жизнеспособной личностью и без Джона Райли.

— Ты всегда ею была, Брин. И простит меня бог за то, что по моей вине ты в этом усомнилась. — Райли нежно взял ее лицо в ладони и погладил губы подушечкой большого пальца. — Эйбел Уинн предлагает тебе золотые горы. Я ненавижу его за то, что он в состоянии это сделать, но такова жизнь. С твоей стороны было бы безумием отказаться от его предложения.

— Утро еще не наступило. Я еще не решила окончательно.

— Это дает мне некоторое преимущество, которым я и пользуюсь. Сегодня ночью Уинна с тобой нет, а я здесь. Ты все еще моя жена. Я хочу, чтобы ты вернулась в мою жизнь. Я тебя люблю. Поэтому проведи со мной эту ночь. В одной постели. Никакого секса, мы просто полежим вместе, просто побудем рядом. Думаю, такую малость мы друг другу обязаны дать.

— А что произойдет, если утром я приму предложение Уинна?

— Я отпущу тебя и пожелаю всего хорошего. Клянусь.

Брин сама не понимала, почему колеблется. Она верила Райли. Он смирится с ее решением, если обещал. Почему же она так боится провести остаток ночи в одной постели с ним?

Потому что она все еще его любит. И потому что любовь порой глуха к голосу разума.

Однако сейчас Брин смотрела на их брак под другим углом. Райли по-прежнему остается ее мужем, и она действительно обязана дать ему хотя бы эту ночь. Да и себе тоже, потому что ей нужна полная уверенность. Если она решит принять предложение Уинна и переехать в Лос-Анджелес, что будет автоматически означать развод с Райли, она должна быть совершенно уверена, что освободилась от него и эмоционально, и физически.

— Ну хорошо, Райли, — тихо сказала она наконец. — Давай ляжем.

Они медленно разделись, глядя друг на друга. Каждому из них было нелегко держать под контролем свои эмоции. Когда Брин осталась в трусиках и футболке, Райли хрипло сказал:

— По-моему, тебе лучше дальше не раздеваться.

Брин молча кивнула и была рада, что он остался в трусах. Райли выключил свет. По старой привычке Брин легла на правую половину кровати. Накрывшись одеялом, они, как раньше, сразу же повернулись лицом друг к другу.

— Осторожнее с рукой.

Райли положил забинтованную руку на подушку над головой Брин.

— Она уже почти не болит.

Брин знала, что он лжет, правду выдавала белая полоса, окаймлявшая губы.

— Ты точно не хочешь выпить таблетку?

— И проспать все это? Ни в коем случае.

Он переплел свои ноги с ее и придвинулся ближе. Брин положила руку ему на шею.

— Тебе нужно поспать.

— Не хочу. — Но глаза говорили обратное. Было заметно, что держать их открытыми стоит ему немалых усилий. События этой долгой ночи потребовали слишком большого напряжения, и Райли отчаянно боролся с усталостью.

— Тебе нужно отдохнуть, — прошептала Брин. Она обхватила его голову и прижала к своей груди.

Райли потыкался головой в ее мягкое тело, пока не нашел привычное место.

— Ты играешь не по правилам, — пробормотал он сонно.

— Ш-ш-ш. — Она погрузила пальцы в его волосы. — Спи.

Не прошло и нескольких минут, как по ровному дыханию Райли стало ясно, что он отказался от борьбы и уснул. Но Брин не спала. У нее осталось всего несколько часов на раздумье, а она все еще не знала, что ответить Уинну.

Перспектива сотрудничества с Уинном была весьма заманчивой, обещанное жалованье — более чем щедрым. Было бы замечательно начать работать с нуля над новым шоу общенационального уровня. Еще пару дней назад Брин ни за что не отказалась бы от подобной возможности.

Но она не хотела переезжать в Лос-Анджелес. В конце концов, деньги — это еще не все в жизни. Работа в передаче «Утро с Джоном Райли» всегда давала достаточно простора для проявления ее творческих способностей. А какая работа может требовать большей отдачи и приносить большее удовлетворение, чем труд над успехом собственного брака?

И она любила Райли.

Брин положила подбородок на макушку Райли и прижала к себе его голову. Да, она его любит. Что может быть лучше, чем спать с ним каждую ночь? Ничего. Во всяком случае, в данный момент она не могла придумать ничего более заманчивого. Ни с кем ей не было так интересно, как с Райли. Правда, временами он бывал чересчур обидчив, но эта его черта пробуждала в ней материнский инстинкт. А когда на нее находило плохое настроение и она вела себя как настоящая стерва, Райли проявлял редкостное терпение и всякий раз уговорами и лаской помогал ей выйти из мрачного расположения духа.

Брин поняла, что ей нужны и Райли, и передача «Утро с Джоном Райли».

Так что же ее удерживало от принятия окончательного решения? Только одно. Она не знала, почему Райли пришел искать примирения именно сегодня. Произошло ли это потому, что он не мог больше вынести ни одного дня без нее, или потому, что ему предъявили ультиматум? Кого он хочет вернуть: жену или продюсера? Что для него важнее: брак или его родное детище, его ток-шоу? Кого он больше любит: ее или себя? И имеет ли это вообще какое-то значение?

Брин захватила пальцами прядь его волос. А о ком думала она, когда уходила от Райли? Кого она тогда любила больше всего? Чье благополучие было для нее на первом месте?

Все-таки Райли проглотил свою знаменитую гордость и пришел за ней. Он понял, что вместе им гораздо лучше, чем по отдельности, и признал это. В любой семье, где оба супруга заняты карьерой, проблемы неизбежны. И если Райли хватило смелости встретить трудности во всеоружии, то неужели ей не хватит?

Брин поцеловала его макушку, потом поцеловала плечо, но Райли не проснулся. Он не проснулся даже тогда, когда она вылезла из-под одеяла и на цыпочках вышла из спальни.

Глава 9

– Брин?

— Да?

— Ты вставала?

— Да, я ненадолго спускалась вниз.

— Зачем?

— Засыпала кофе в кофеварку и включила таймер.

— Сколько сейчас времени?

— Еще рано. Прости, что разбудила.

— Все нормально, я рад, что проснулся.

Когда она снова легла рядом с ним, их ноги тут же переплелись. Брин устроилась у него на груди, просунув одну руку ему под мышку, Райли здоровой рукой обнял ее за талию.

— Рука болит?

— Шут ее знает, — сонно пробормотал Райли. — Я ничего не чувствую, кроме тебя.

Некоторое время предрассветная тишина не нарушалась ни единым звуком, кроме их ровного дыхания. Потом Райли сказал:

— Так приятно чувствовать тебя рядом. Это всегда было приятно.

— Я рада.

— Я сразу заметил, что физически мы очень хорошо подходим друг другу.

— Я это тоже заметила. — Все еще пряча лицо у него на груди, Брин улыбнулась и почувствовала, как упругие волоски щекочут ей губы.

— Господи, Брин, как давно мне хотелось обнять тебя, просто обнять. Это так замечательно.

Райли попытался привлечь ее еще ближе, хотя ближе было уже некуда, потерся щекой о ее макушку. Когда он немного разжал объятия, Брин запрокинула голову, чтобы посмотреть ему в глаза.

— Мне очень приятно, когда ты меня обнимаешь.

На лице Райли отразилась сложная гамма чувств. В глубине голубых глаз горел огонь, они жадно смотрели на Брин, впитывая каждую черточку ее облика. В предутреннем свете ее нежная кожа приобрела перламутровый оттенок. Волосы темным венком спутанных кудрей легли вокруг лица. Густые черные ресницы обрамляли аквамариновые глаза. Розовые влажные губы выглядели так, словно они готовы ко всему, что приходило на ум при виде их. И как всегда, Райли приводила в восторг эта маленькая продолговатая ямочка у нее на подбородке. Брин выглядела грешной и соблазнительной, истинным воплощением женской чувственности.

— Брин... — хрипло прошептал Райли.

Их губы соприкоснулись, разошлись, снова соприкоснулись, снова разошлись, а потом слились в поцелуе. Язык Райли несмело раздвинул ее губы и скользнул внутрь.

Брин, податливая и жаждущая, выгнулась ему навстречу и обняла его за шею. Райли не нуждался в дальнейших поощрениях. Его движения не были поспешными или грубыми, не были они и стыдливыми или робкими. Его язык вопрошал, исследовал, знакомился заново с каждым сладким дюймом ее рта.

Прошептав что-то, он принялся осыпать нежными быстрыми поцелуями ее лоб, веки, нос, щеки, но его губы неизменно возвращались к ее губам. Он легонько пощипал, захватил соблазнительную нижнюю губку и потеребил ее, осторожно прикусив зубами, а потом плавно провел языком по ее припухшим от страсти губам. Он попробовал на вкус улыбку, приподнявшую уголки ее губ. Поцелуи Райли были неистовыми и в то же время сдержанными, грубыми и нежными, нетерпеливыми и ленивыми, игривыми и страстными. И каждый раз новыми. И каждый поцелуй пробуждал воспоминания.

— У тебя такой рот, о котором я мечтал в юности, — тихо проговорил он.

— И что же в нем такого особенного?

— Все. Вкус, форма, то, как он откликается на мои поцелуи. Я его обожаю.

Он снова припал к ее губам и не отрывался до тех пор, пока им обоим хватало дыхания.

— Ты потрясающе целуешься, — прошептала Брин томно, словно его ласки вконец обессилили ее. — Каждая женщина должна хоть раз на своем веку испытать, что такое настоящий поцелуй.

— И что же это такое? — Он снова потерся губами о ее губы.

— Когда ты целуешь, то как будто занимаешься любовью.

— Похоже на сам акт?

— На сам акт. Твои поцелуи недвусмысленно заявляют, что ты мужчина, а я — женщина. Твои поцелуи никогда не бывают небрежными, они всегда тщательные. От твоих поцелуев я слабею, и одновременно они страшно возбуждают.

Райли немного приподнял голову, только чтобы посмотреть ей в глаза. Меж его бровей залегла складка, он обвел указательным пальцем покрасневшую кожу вокруг ее губ.

— Я не брит...

— Не важно. — Брин подняла руку — медленно, словно она весила тысячу фунтов, — и погладила его подбородок, потемневший от отросшей за ночь колючей щетины. — Ты стал похож на пирата. Мне всегда хотелось, чтобы мною овладел пират.

— Это еще почему? — Он медленно поглаживал тыльной стороной ладони ее шею.

— Сама не знаю. Может, моя фантазия имеет какое-то отношение к его шпаге.

Райли прервал любовную игру, чуть запрокинул голову и смерил Брин взглядом, полным откровенного желания.

— К шпаге, говоришь?

Брин утвердительно промычала и многозначительно улыбнулась.

Райли прошептал ей на ухо что-то непристойное. Брин захихикала и игриво шлепнула его по плечу. Между ними завязалась шутливая потасовка с дразнящими шлепками и легкими покусываниями, а потом их губы снова слились в горячем поцелуе, и каждый считал себя победителем.

Игра уступила место страсти. Издав хриплый стон, Райли вытянул ноги. Почувствовав его движение, Брин выпрямила колени. Они оказались совсем близко друг к другу — ступня к ступне, колено к колену, бедро к бедру. Их затопил жар, подобный кипящей огненной лаве.

— Райли, — простонала она.

— Брин, — выдохнул он.

Он впился в ее губы поцелуем, рука легла ей на поясницу. Райли притянул ее жаждущее тело к своему горячему, возбужденному члену.

В этот самый момент сквозь жалюзи в комнату пробились первые лучи солнца.

— Как мне тебя не хватало, Брин! — Брин чувствовала у себя на шее его горячее дыхание, а слова любви вливались в нее подобно живительному эликсиру. — Я так тосковал по всему этому, по тебе в моей постели, по твоей страсти. Иногда мне казалось, что я умру, если не смогу снова обнять тебя вот так. Я так тебя хотел, что готов был умереть. Без тебя я был как больной. Излечи меня, — закончил он настойчивой мольбой. — Излечи меня, Брин.

Его рука скользнула в ее трусики. Сжимая сильными теплыми пальцами упругие ягодицы, он еще теснее прижал ее к себе. Брин протиснула руку между их телами и запустила пальцы под резинку его трусов. Она почувствовала, как Райли затаил дыхание. На мгновение время словно остановилось, и только их сердца бешено стучали в унисон.

Она стянула его трусы вниз, и Райли со стоном выдохнул. Его член, упирающийся ей в бедра, был твердым, гладким и бархатистым.

Он неспешно освободил ее бедра от мягкой ткани трусиков. Брин держала ноги плотно сжатыми — во-первых, потому, что знала, что Райли любит преодолевать препятствия, а во-вторых, было неимоверно приятно ощущать его ищущую руку в теплой расселине между бедер.

Повинуясь древнему, как само человечество, инстинкту, Райли перевернул Брин на спину и накрыл ее тело своим. Он ласкал ее, забыв о боли, забыв о повязке на ране. С трудом сдерживая охватившее его вожделение, он рывком стянул через голову Брин футболку и отшвырнул ее в сторону. Приподнявшись над Брин на выпрямленных руках, он пожирал глазами ее обнаженное тело.

И тут Райли как будто что-то вспомнил. Он часто заморгал, словно стряхивая с глаз пелену страсти.

— Не останавливайся, Райли, пожалуйста, — прохрипела Брин.

Райли мягко рассмеялся. Постепенно расслабив мышцы рук, он осторожно опустился на нее. Нежно поцеловал в губы, затем уткнулся лицом в душистую теплую шелковистую впадинку между плечом и шеей. Райли некоторое время полежал в таком положении, пока не выровнялось дыхание.

— Я не хочу торопиться. — Он все еще не поднимал головы, и Брин чувствовала, как его голос отдается вибрацией в ее теле. — Пусть все будет хорошо, лучше, чем когда-либо. Я хочу, чтобы этот раз был самым лучшим.

Брин обхватила его голову руками и запустила пальцы в густые волосы.

— Я ведь уже сказала, что здесь проблем никогда не было. В постели ты всегда был потрясающим.

— Знаю. Но я хочу, чтобы сегодня все было по-особому, как в первый раз. Я хочу, чтобы мы оба запомнили сегодняшнюю ночь. — Он с любовью убрал с ее раскрасневшихся щек непослушные прядки волос. — Брин Кэссиди, я люблю тебя. Я хочу, чтобы ты знала, как сильно я тебя люблю.

Он отстранился настолько, чтоб иметь возможность охватить взглядом все ее тело.

— Как ты прекрасна! — прошептал он.

Райли положил на ее щиколотку руку и стал медленно вести ее вверх, повторяя путь, проделанный взглядом, и останавливаясь, чтобы исследовать все, что привлекало его внимание.

Сначала он задержал руку под коленкой.

— Какая у тебя нежная кожа.

Затем коснулся маленького шрама на бедре.

— Откуда у тебя этот шрам?

— Я поранилась разбитой бутылкой на пляже.

— Сколько тебе тогда было лет?

— Около шести.

Потом рука Райли задержалась на родинке под левой грудью.

— Какая красивая, — выдохнул он.

— Что ты, она же уродливая.

— Только не для меня.

Затем пальцы его нашли ямку на подбородке.

— Мне ужасно нравится это место.

— Как-то раз я спросила у мамы, откуда у меня эта ямочка. Она сказала, что перед тем, как посылать меня на землю, бог показал на меня пальцем и сказал: «Вот мой любимый ангелочек». И там, где он до меня дотронулся пальцем, остался этот след.

Райли улыбнулся, взял ее руку в свою и принялся разглядывать рисунок вен, изящные тонкие пальцы, длинные, сужающиеся к концу ногти. Потом поднес ее руку к губам и пылко поцеловал раскрытую ладонь, лаская языком самую середину. Брин поежилась.

— Щекотно, но ощущение восхитительное.

— Это ты восхитительная.

Он погладил языком подушечку у основания среднего пальца. В ответ Брин резко дернулась. Поняв, что открыл нечто новое, Райли прищурился. Язык-соблазнитель неторопливо повторил то же самое с каждым пальцем по очереди.

Брин простонала его имя, ее спина выгнулась, глаза сами собой закрылись. Но тут же удивленно распахнулись, когда Райли опустил ее собственную руку ей на грудь. В расширившихся глазах Брин светился немой вопрос. Райли молчал. Он застыл неподвижно, пристально глядя на нее. Брин облизала губы. Она вдруг застеснялась и одновременно почувствовала небывалый всплеск возбуждения.

— Ты хочешь, чтобы я... — Ее голос стих и стал почти совсем не слышен.

Райли кивнул. Его глаза горели голубым огнем, и вместе с огнем его взгляда в Брин перетекало его возбуждение.

— Но ты никогда не говорил... никогда не упоминал, что...

— По-моему, это было бы прекрасное зрелище, — хрипло сказал он, проведя пальцами по ее руке, лежащей на груди. — Твои пальцы все еще влажные от моих поцелуев.

Брин одолевали противоречивые чувства. Она робела и вместе с тем ощущала, как глубоко внутри ее нарастает возбуждение. В конце концов бесстыдство победило застенчивость. Брин хотела доставить Райли удовольствие, выразить свою любовь к нему. Ее рука пришла в движение, в движение пришли пальцы. Она ласкала себя — легко, мягко, соблазнительно.

Глядя, как она возбуждает себя для него, Райли издал низкий грудной стон. Он наклонился к ее груди и взял в рот набухший пик. Целуя ее грудь губами, казалось, нарочно созданными для того, чтобы дарить ей эту ласку, он легонько посасывал то один, то другой сосок, снова и снова дразнил их языком, и Брин стало казаться, что она взорвется от напряжения.

Чувствуя охватывающее ее желание, Райли провел рукой вниз по ее животу. Пальцы пробрались сквозь темную поросль волос и расположились меж ее бедер. Брин плотно сомкнула бедра, зажимая его руку, и стала двигаться вместе с ней.

Райли нежно разделил пальцами бархатистые лепестки, нашел влажное шелковое гнездышко, которое они прикрывали. Он ласкал Брин со сводящей с ума медлительностью. Тонко чувствуя ее желания, он раз за разом подводил ее к самой грани экстаза, не давая пересечь эту грань.

Райли проложил дорожку поцелуев по ее груди, животу, приласкал языком пупок. Потерся влажными губами о края треугольника, своей вершиной указывающего путь к средоточию ее женственности. Язык Райли мягкими толчками и круговыми поглаживающими движениями выражал его страстную любовь.

Брин утратила остатки скромности. Ей хотелось быть еще ближе к нему, получить еще больше, отдать все, а остальное потеряло смысл. Все, что составляло сущность Брин Кэссиди, стало навсегда принадлежать Джону Райли, и только ему одному. Но Брин чувствовала себя не опустошенной, а наполненной. Ее переполняла любовь.

— О, Джон, не надо. — Тело ее приближалось к моменту освобождения, которое сердце уже испытало. — Я хочу, чтобы ты был внутри меня.

Райли позволил ее руке направить свою плоть в тесную теплоту ее тела. Он вонзился в нее глубоко, так глубоко, как только мог, а потом, обхватив ее голову руками, прижался к ее губам со всей сжигающей его страстью.

— Брин, ты знаешь, как сильно я тебя люблю?

— Да, да, да... — повторяла она в такт мощным движениям его тела. — Я люблю тебя, Джон, я люблю тебя.

Она достигла пика страсти лишь на считаные секунды раньше, чем он. Райли видел, как она выгибается, запрокидывая голову, как светлеет ее лицо. Затем наступило его освобождение, и живительные соки излились в нее, достигая, казалось, самого сердца.

— Ты преуспел.

Брин бессильно развалилась поперек его тела. Оба были утомлены, обоих разморило. Брин лениво перебирала волоски у него на груди, время от времени ее губы сами складывались для поцелуя, и она прикасалась ими к его коже.

— Как это? — спросил Райли, не открывая глаз. Впервые за последние несколько месяцев он чувствовал настоящее умиротворение.

— Ты сказал, что хочешь, чтобы мы запомнили этот раз. Так вот, я это никогда не забуду.

— Не забудешь что?

Брин намотала волоски на палец и с силой дернула.

— Ой-ой-ой! — завопил Райли. — Ну прости, прости, ты что, шуток не понимаешь?

Смеясь, он обвил ее руками и перекатил на спину, а потом стал рычать, изображая голодного хищника. В конце концов их губы встретились и слились в нежном поцелуе, полном любви.

— Райли, я хочу снова стать твоей женой, — прошептала Брин, когда он наконец оторвался от ее губ.

— А ты никогда не переставала ею быть.

— Хочешь заставить меня произнести все по буквам, не так ли?

Он усмехнулся, в глазах сверкнули дьявольские огоньки.

— Ну что ж, ладно. — Брин вздохнула. — Я хочу вернуться в наш дом.

— И в нашу постель?

— И в нашу постель. — Она тронула пальцем его губы. — В особенности в нашу постель.

— Быть вместе в горе и в радости?

— Пока смерть не разлучит нас.

— А как насчет детей?

— Что насчет детей?

— Ты не очень-то ухватилась за эту мысль, когда я в последний раз высказал ее тебе.

— Тогда ты залил кровью весь мой «Датсун»!

Райли только охнул.

— К тому же тогда мы еще не сошлись официально.

— Это было лишь вопросом времени.

— Не слишком зазнавайся, а не то я не скажу тебе, что случайно забыла принять меры предосторожности.

— Случайно?

— Я же тебя предупреждала, чтобы ты не слишком зазнавался.

Улыбка Райли была олицетворением самонадеянности. Но потом он посерьезнел и спросил:

— Брин, ты уверена?

— Насчет детей?

— Насчет всего.

Она ответила не колеблясь:

— Абсолютно уверена.

— А как же работа, которую предлагает Уинн? Мне страшно не хочется просить тебя отказаться от такой хорошей возможности.

— Я уже отказалась.

— Ты уже... как? Когда?

— Сегодня утром. Пока ты спал, я спустилась в гостиную и позвонила Уинну.

— Проклятие, — тихо пробормотал Райли. — Почему ты мне не сказала?

— Ты не спрашивал.

— И что ты ему ответила?

— Что я польщена его предложением, но, приняв его, я бы поставила под угрозу то, что для меня гораздо важнее. Свою семейную жизнь.

— Наверняка Уинн был не в восторге. — В голосе Райли послышалось плохо скрытое злорадство.

— Он воспринял это довольно спокойно, особенно если учесть, что я позвонила ему еще до рассвета и подняла с постели. Я бы даже сказала, что он был рад услышать мой ответ так рано.

— Он думал, что ты звонишь, чтобы сообщить ему хорошую новость.

— Так оно и было, только его понимание хорошей новости не совпадает с моим.

— Ты упомянула, что в постели тебя ждет похотливый муж?

Брин чмокнула его в подбородок.

— Некоторые тайны слишком восхитительны, чтобы делиться ими с посторонними. — Она обняла его за шею. — Ну что, теперь ты доволен? Ты получил обратно и жену, и продюсера.

— Да, это может прийтись кстати. — Райли поцеловал ее. — Особенно если мне когда-нибудь доверят другую передачу на телевидении.

— Гм, это наверняка... — Брин оборвала себя на полуслове и непонимающе уставилась на него. Ее голова упала на подушку. — Что ты сказал?

— Я сказал, что если получу другую передачу...

— Эту часть я уже слышала, лучше объясни, как тебя понимать.

Он скатился с нее и лег на спину, подложив здоровую руку под голову, а забинтованную положив себе на грудь.

— Растяпа Уит довольно точно изложила большую часть фактов.

— А именно? Скажи толком, в «Утре» возникли проблемы или нет?

— Тебе будет приятно узнать, что, как только ты ушла из передачи, все полетело к черту. — Райли бросил на нее многозначительный взгляд. — В основном это произошло потому, что ведущему упомянутого ток-шоу стало на него наплевать.

— И насколько упал рейтинг?

— Скажем так, руководство студии имело все основания вызвать меня на ковер и предъявить ультиматум. Они считали, что единственный способ решить наши проблемы — вернуть тебя. Причем срочно. И эта работа была поручена мне. Я обязан был вернуть тебя всеми средствами, праведными и неправедными.

— Ясно.

— Тогда-то я и заявил им, что мой брак и так уже находится под угрозой и я не собираюсь подвергать его еще большему риску ради какой бы то ни было передачи, а если они ждут от меня именно этого, то могут засунуть эту передачу... ладно, не важно, думаю, основная мысль тебе понятна.

Боясь реакции Брин, некоторое время Райли лежал, уставившись в потолок. Наконец он набрался храбрости и повернулся к ней. В глазах Брин стояли слезы.

— Бог мой, Брин, почему ты плачешь? Неужели ты так расстроилась?

Она замотала головой, разбрызгивая прозрачные капли по щекам и подушке.

— Ты сделал это ради меня?

Брин знала, что передача была для Райли важнее всего в жизни, и все-таки он добровольно отказался от своего детища ради нее. Значит, он умолял ее вернуться не ради «Утра».

— Тебя так сильно беспокоит то обстоятельство, что твой муж больше не знаменитость?

— Я люблю тебя, кем бы ты ни был.

Райли крепко сжал ее руку.

— Я всегда знал, что из нас получилась потрясающая команда.

Они смотрели друг на друга с любовью. Некоторое время переполнявшие ее чувства мешали Брин говорить, наконец она сказала:

— А теперь ответь на главный вопрос: это серьезно?

— Что?

— Не притворяйся, что не понимаешь. Я имею в виду твое решение. Насколько я знаю, ты уходил из передачи по меньшей мере раз десять и всякий раз возвращался.

Райли рассмеялся, потом, посерьезнев, ответил:

— На этот раз они могут не принять меня обратно.

— Примут, если решат, что ты уходишь куда-то еще. — В голосе Брин послышались заговорщические нотки. — Если они испугаются, что ты нашел себе место получше, то могут даже предложить тебе жирный куш, чтобы ты остался.

Райли приподнялся на локте и всмотрелся в ее лицо.

— Так-так, ну-ка рассказывай, что происходит в этой умной головке.

Брин хихикнула.

— По-моему, яснее ясного, что если мы предадим новость о нашем воссоединении гласности и одновременно станет известно, что мне предложили работу в «Первой странице»...

— Да, до этого момента мне все ясно.

— ...то они могут заключить, что ты переходишь в «Уинн-компани» ведущим передачи и берешь меня с собой в качестве продюсера.

— Но это же не так.

— Но они-то не знают!

— А к тому времени, когда они разберутся...

— Они уже уговорят тебя вернуться.

— А ты, оказывается, не только сексуальная, но и чертовски сообразительная. — Он шлепнул ее по голому заду и крепко поцеловал. Оторвавшись друг от друга, они дружно рассмеялись. — Но наш блеф может не сработать.

Брин пожала плечами:

— Тогда мы еще что-нибудь придумаем. Что-нибудь, не имеющее никакого отношения к телевидению.

— Ты так сильно в меня веришь?

— Я верю в нас обоих. — В ее лучистых глазах отразился золотистый свет нового дня. — Уйдя от тебя, я повела себя глупо и по-детски. Мне стыдно за это. Только сейчас я поняла, что значит любить, и за то, что ты меня простил, я люблю тебя еще сильнее. Пусть между нами никогда больше не будет непонимания.

— Иди сюда, — прорычал Райли, привлекая ее к себе. — Если мы начнем обсуждать все глупые и незрелые поступки, которые совершили ты и я, то зря отнимем драгоценное время.

Они целовали друг друга с новой страстью, никогда еще их чувства не были так сильны. Переведя дух, Брин лукаво улыбнулась:

— Отнимем драгоценное время... от чего? — Она склонила голову к его груди, целуя и игриво покусывая.

— Во-первых, от еды. — В этот момент Брин обвела языком его жесткий сосок, и он не смог дальше говорить, лишь резко втянул в себя воздух. — Я так и не закончил... о-о... не...

— Что?

— Что?

Брин переместилась ниже, и шаловливый язычок занялся его пупком.

— Что ты не закончил?

— Не доел бутерброд с ветчиной. Я... Брин... Брин...

— Что? — прошептала она, шевеля губами поросль темных волос в самом низу его живота.

— Что должен... о-о... боже милостивый... что парень должен... о-о, я умираю... сделать... о-о, да, да, вот так, еще... должен сделать, чтобы... о-о-о... получить завтрак?

— Потерпи, Райли, я собираюсь еще некоторое время продержать тебя в постели, — промурлыкала Брин, устраиваясь над ним поудобнее. — Я давно убедилась, что утро — твое лучшее эфирное время.

Литературно-художественное издание

САНДРА БРАУН
МИРОВОЙ МЕГА-БЕСТСЕЛЛЕР

Сандра Браун

ПОЦЕЛУЙ НА РАССВЕТЕ

Ответственный редактор *В. Стрюкова*
Младший редактор *М. Гуляева*
Художественный редактор *В. Безкровный*
Технический редактор *О. Лёвкин*
Компьютерная верстка *Е. Кумшаева*
Корректор *Е. Дмитриева*

В оформлении обложки использованы фотографии:
MJTH, Oleksiy Mark / Shutterstock.com
Используется по лицензии от Shutterstock.com

ООО «Издательство «Эксмо»
127299, Москва, ул. Клары Цеткин, д. 18/5. Тел. 411-68-86, 956-39-21.
Home page: **www.eksmo.ru** E-mail: **info@eksmo.ru**

Өндіруші: Издательство «ЭКСМО»ЖШҚ, 127299, Мәскеу, Ресей, Клара Цеткин көш., үй 18/5.
Тел. 8 (495) 411-68-86, 8 (495) 956-39-21
Home page: www.eksmo.ru E-mail: info@eksmo.ru.
Тауар белгісі: «Эксмо»
Қазақстан Республикасында дистрибьютор және өнім бойынша арыз-талаптарды қабылдаушының
өкілі «РДЦ-Алматы» ЖШС, Алматы қ., Домбровский көш., 3«а», литер Б, офис 1.
Тел.: 8(727) 2 51 59 89,90,91,92, факс: 8 (727) 251 58 12 вн. 107; E-mail: RDC-Almaty@eksmo.kz
Өнімнің жарамдылық мерзімі шектелмеген.
Сертификация туралы ақпарат сайтта: www.eksmo.ru/certification

Сведения о подтверждении соответствия издания согласно законодательству РФ о техническом регулировании можно получить по адресу: http://eksmo.ru/certification/

Өндірген мемлекет: Ресей
Сертификация қарастырылмаған

Подписано в печать 03.09.2013. Формат $80\times100^1/_{32}$.
Гарнитура «Таймс». Печать офсетная. Усл. печ. л. 11,85.
Тираж 3 000 экз. Заказ № 2744.

Отпечатано с электронных носителей издательства.
ОАО "Тверской полиграфический комбинат". 170024, г. Тверь, пр-т Ленина, 5.
Телефон: (4822) 44-52-03, 44-50-34, Телефон/факс: (4822)44-42-15
Home page - www.tverpk.ru Электронная почта (E-mail) - sales@tverpk.ru

ISBN 978-5-699-67485-5

Оптовая торговля книгами «Эксмо»:
ООО «ТД «Эксмо». 142700, Московская обл., Ленинский р-н, г. Видное,
Белокаменное ш., д. 1, многоканальный тел. 411-50-74.
E-mail: **reception@eksmo-sale.ru**

По вопросам приобретения книг «Эксмо» зарубежными оптовыми покупателями *обращаться в отдел зарубежных продаж ТД «Эксмо»*
E-mail: **international@eksmo-sale.ru**

International Sales: International wholesale customers should contact Foreign Sales Department of Trading House «Eksmo» for their orders.
international@eksmo-sale.ru

По вопросам заказа книг корпоративным клиентам, в том числе в специальном оформлении, *обращаться по тел. +7 (495) 411-68-59, доб. 2261, 1257.*
E-mail: **vipzakaz@eksmo.ru**

Оптовая торговля бумажно-беловыми и канцелярскими товарами для школы и офиса «Канц-Эксмо»:
Компания «Канц-Эксмо»: 142702, Московская обл., Ленинский р-н, г. Видное-2,
Белокаменное ш., д. 1, а/я 5. Тел./факс +7 (495) 745-28-87 (многоканальный).
e-mail: **kanc@eksmo-sale.ru**, сайт: www.**kanc-eksmo.ru**

Полный ассортимент книг издательства «Эксмо» для оптовых покупателей:
В Санкт-Петербурге: ООО СЗКО, пр-т Обуховской Обороны, д. 84Е.
Тел. (812) 365-46-03/04.
В Нижнем Новгороде: ООО ТД «Эксмо НН», 603094, г. Нижний Новгород,
ул. Карпинского, д. 29, бизнес-парк «Грин Плаза». Тел. (831) 216-15-91 (92, 93, 94).
В Ростове-на-Дону: ООО «РДЦ-Ростов», пр. Стачки, 243А. Тел. (863) 220-19-34.
В Самаре: ООО «РДЦ-Самара», пр-т Кирова, д. 75/1, литера «Е». Тел. (846) 269-66-70.
В Екатеринбурге: ООО «РДЦ-Екатеринбург», ул. Прибалтийская, д. 24а.
Тел. +7 (343) 272-72-01/02/03/04/05/06/07/08.
В Новосибирске: ООО «РДЦ-Новосибирск», Комбинатский пер., д. 3.
Тел. +7 (383) 289-91-42. E-mail: **eksmo-nsk@yandex.ru**
В Киеве: ООО «РДЦ Эксмо-Украина», Московский пр-т, д. 9. Тел./факс: (044) 495-79-80/81.
В Донецке: ул. Артема, д. 160. Тел. +38 (032) 381-81-05.
В Харькове: ул. Гвардейцев Железнодорожников, д. 8. Тел. +38 (057) 724-11-56.
Во Львове: ТП ООО «Эксмо-Запад», ул. Бузкова, д. 2. Тел./факс (032) 245-00-19.
В Симферополе: ООО «Эксмо-Крым», ул. Киевская, д. 153.
Тел./факс (0652) 22-90-03, 54-32-99.
В Казахстане: ТОО «РДЦ-Алматы», ул. Домбровского, д. 3а.
Тел./факс (727) 251-59-90/91. **rdc-almaty@mail.ru**

Полный ассортимент продукции издательства «Эксмо» **можно приобрести в магазинах «Новый книжный» и «Читай-город».**
Телефон единой справочной: 8 (800) 444-8-444. Звонок по России бесплатный.

Интернет-магазин ООО «Издательство «Эксмо»
www.fiction.eksmo.ru
Розничная продажа книг с доставкой по всему миру.
Тел.: +7 (495) 745-89-14. E-mail: **imarket@eksmo-sale.ru**